바로 VOCA

800

20단어×40일

중학
기본

구성과 특징

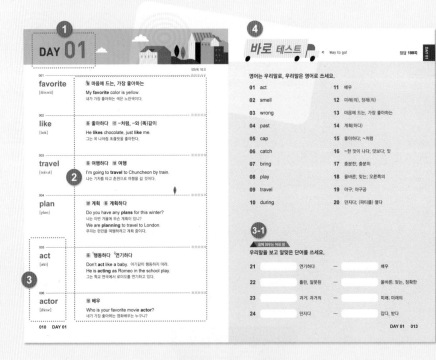

①

매일 20단어씩 40일 학습으로
중학 필수 어휘 800개 제시

②

중학교 1학년 교과서에서 뽑은
예문 수록

③

함께 학습하면 좋은 **반의어**나
파생어 등을 모아서 제시

3-1 문제로도 확인

④

매일 학습한 어휘를 바로바로
확인하는 **바로 테스트**

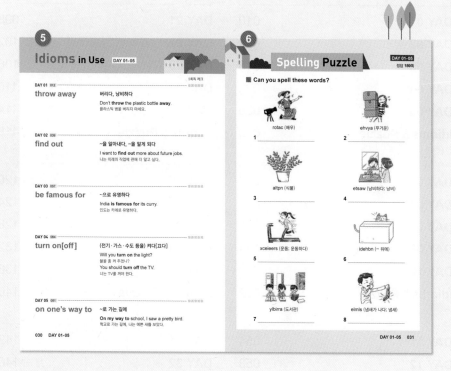

⑤

5일마다 교과서 **최빈출 숙어**
제시

★ 학습한 단어를 숙어로 복습

표제어의 '발음'과 '발음+뜻'을
들을 수 있는 QR코드 제공

⑥

5일마다 **퍼즐**을 풀며 재미있게
반복 학습

휴대용 암기카드
무료 제공

목차

DAY 01	010
DAY 02	014
DAY 03	018
DAY 04	022
DAY 05	026
Idioms & Puzzle	030

DAY 06	032
DAY 07	036
DAY 08	040
DAY 09	044
DAY 10	048
Idioms & Puzzle	052

DAY 11	054
DAY 12	058
DAY 13	062
DAY 14	066
DAY 15	070
Idioms & Puzzle	074

DAY 16	076
DAY 17	080
DAY 18	084
DAY 19	088
DAY 20	092
Idioms & Puzzle	096

DAY 21	098
DAY 22	102
DAY 23	106
DAY 24	110
DAY 25	114
Idioms & Puzzle	118

DAY 26	120
DAY 27	124
DAY 28	128
DAY 29	132
DAY 30	136
Idioms & Puzzle	140

DAY 31	142
DAY 32	146
DAY 33	150
DAY 34	154
DAY 35	158
Idioms & Puzzle	162

DAY 36	164
DAY 37	168
DAY 38	172
DAY 39	176
DAY 40	180
Idioms & Puzzle	184

ANSWERS	187
INDEX	201

학습 계획표

★ DAY별로 각각 첫 번째로 공부한 날과 두 번째로 공부한 날의 날짜를 쓰세요.

DAY	1회독		2회독		DAY	1회독		2회독	
01	월	일	월	일	21	월	일	월	일
02	월	일	월	일	22	월	일	월	일
03	월	일	월	일	23	월	일	월	일
04	월	일	월	일	24	월	일	월	일
05	월	일	월	일	25	월	일	월	일
06	월	일	월	일	26	월	일	월	일
07	월	일	월	일	27	월	일	월	일
08	월	일	월	일	28	월	일	월	일
09	월	일	월	일	29	월	일	월	일
10	월	일	월	일	30	월	일	월	일
11	월	일	월	일	31	월	일	월	일
12	월	일	월	일	32	월	일	월	일
13	월	일	월	일	33	월	일	월	일
14	월	일	월	일	34	월	일	월	일
15	월	일	월	일	35	월	일	월	일
16	월	일	월	일	36	월	일	월	일
17	월	일	월	일	37	월	일	월	일
18	월	일	월	일	38	월	일	월	일
19	월	일	월	일	39	월	일	월	일
20	월	일	월	일	40	월	일	월	일

발음 기호를 알면 단어 읽기가 된다

글자	대표 음가	예시 단어	글자	대표 음가	예시 단어
A a	[a], [ei] 등	art, name	**N** n	[n]	new, can
B b	[b]	boy, ball	**O** o	[ʌ], [ou] 등	other, old
C c	[k], [s]	cap, pencil	**P** p	[p]	park, drop
D d	[d]	doll, duck	**Q** q	[k]	queen, quiet
E e	[e], [i] 등	end, easy	**R** r	[r]	room, read
F f	[f]	foot, wife	**S** s	[s], [z]	sun, busy
G g	[g], [ʒ], [dʒ]	pig, giraffe	**T** t	[t]	tree, want
H h	[h]	home, hello	**U** u	[ʌ], [u], [ju], [ə] 등	uncle, use
I i	[i], [ai] 등	sit, ice	**V** v	[v]	very, love
J j	[dʒ]	jam, join	**W** w	[w]	win, woman
K k	[k]	king, milk	**X** x	[ks], [gz]	fox, exam
L l	[l]	long, cold	**Y** y	[i], [ai]	baby, try
M m	[m]	monkey, some	**Z** z	[z]	zoo, zebra

발음 동영상

1 모음

모음				
a ㅏ	e ㅔ	i ㅣ	o ㅗ	u ㅜ
æ ㅐ	ɜ ㅔ	ɔ ㅗ/ㅓ중간	ʌ ㅓ(강하게)	ə ㅓ(짧게)

* 모음 뒤에 [:]를 붙이면 길게 읽습니다.

이중 모음				
ja ㅑ	je ㅖ	jə ㅕ	jo ㅛ	ju ㅠ
wa ㅘ	we ㅞ	wi ㅟ	wɔ ㅝ/ㅘ	wə ㅝ

* 모음 앞에 [j]가 붙으면 "야, 여, 요", [w]가 붙으면 "와, 웨, 워"와 같이 발음합니다.

2 자음

유성 자음

발음할 때 목이
떨리는 자음

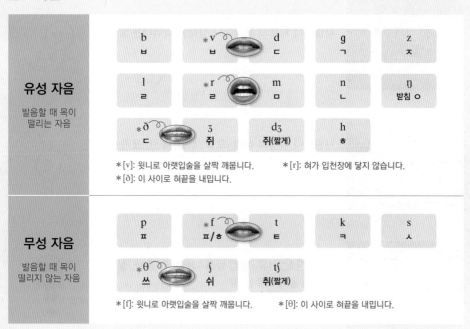

b ㅂ	*v ㅂ	d ㄷ	g ㄱ	z ㅈ
l ㄹ	*r ㄹ	m ㅁ	n ㄴ	ŋ 받침 ㅇ
*ð ㄷ	ʒ 쥐	dʒ 쥐(짧게)	h ㅎ	

* [v]: 윗니로 아랫입술을 살짝 깨뭅니다.　　　* [r]: 혀가 입천장에 닿지 않습니다.
* [ð]: 이 사이로 혀끝을 내밉니다.

무성 자음

발음할 때 목이
떨리지 않는 자음

p ㅍ	*f ㅍ/ㅎ	t ㅌ	k ㅋ	s ㅅ
*θ 쓰	ʃ 쉬	tʃ 취(짧게)		

* [f]: 윗니로 아랫입술을 살짝 깨뭅니다.　　　* [θ]: 이 사이로 혀끝을 내밉니다.

8품사를 알면 문장이 쉬워진다

Wow! The **flowers** in the painting **look** **very** **real**, **and** I like them.

감탄사   명사   전치사   동사   부사   형용사   접속사 대명사

명사
noun

사람, 사물, 개념 등의 이름을 나타내는 말

e.g. dog, friend, car, peace

dog

대명사
pronoun

명사를 대신하는 말

e.g. I, you, she, this, they

동사
verb

사람이나 사물의 동작이나 상태를 나타내는 말

e.g. eat, run, walk, study

walk

형용사
adjective

사람이나 사물의 상태, 모양, 성질, 수량, 크기 등을 나타내는 말

e.g. good, happy, pretty, many, big

happy

부사
adverb

시간, 장소, 이유, 방법 등을 나타내며 동사, 형용사, 부사 등을 꾸며주는 말

e.g. now, there, very, slowly

very

| 전치사
preposition | 명사나 대명사 앞에 쓰여 시간, 장소, 방향, 수단 등을
나타내는 말

e.g. in, on, from, by |
on |

| 접속사
conjunction | 단어와 단어, 구와 구, 문장과 문장을
이어주는 말

e.g. and, but, or, because | and |

| 감탄사
interjection | 놀람이나 느낌을 나타내며 저절로 나오는 말

e.g. oh, wow, oops, hey | Wow! |

 이 책에 쓰인 약호

- 명 명사
- 대 대명사
- 동 동사
- 형 형용사
- 부 부사
- 전 전치사
- 접 접속사
- 복 명사의 복수형

DAY 01

001

favorite
[féivərit]

형 마음에 드는, 가장 좋아하는

My **favorite** color is yellow.
내기 가장 좋아하는 색은 노란색이다.

002

like
[laik]

동 좋아하다 전 ~처럼, ~와 (똑)같이

He **likes** chocolate, just **like** me.
그는 꼭 나처럼 초콜릿을 좋아한다.

003

travel
[trǽvəl]

동 여행하다 명 여행

I'm going to **travel** to Chuncheon by train.
나는 기차를 타고 춘천으로 여행을 갈 것이다.

004

plan
[plæn]

명 계획 동 계획하다

Do you have any **plans** for this winter?
너는 이번 겨울에 무슨 계획이 있니?
We are **planning** to travel to London.
우리는 런던을 여행하려고 계획 중이다.

005

act
[ækt]

동 ¹행동하다 ²연기하다

Don't **act** like a baby. 아기같이 행동하지 마라.
He is **acting** as Romeo in the school play.
그는 학교 연극에서 로미오를 연기하고 있다.

006

actor
[ǽktər]

명 배우

Who is your favorite movie **actor**?
네가 가장 좋아하는 영화배우는 누구니?

007

bring
[briŋ]
brought – brought

동 가져오다, 데려오다

Bring cold water and a towel. 찬물과 수건을 가져오세요.

008

play
[plei]

동 ¹놀다 ²(경기 등을) 하다 ³(악기 등을) 연주하다

She **played** with her dog. 그녀는 자신의 개와 놀았다.
I **play** soccer every day. 나는 매일 축구를 한다.
He's **playing** the piano. 그는 피아노를 치고 있다.

009

baseball
[béisbɔ̀:l]

명 ¹야구 ²야구공

I'm in the **baseball** club. 나는 야구 동아리에 속해 있다.

010

cap
[kæp]

명 (앞부분에 챙이 달린) 모자

Hojin is wearing a baseball **cap**. 호진이는 야구 모자를 쓰고 있다.

011

during
[djúːəriŋ]

전 ~ 동안[내내]

Our club meets in Room 505 **during** lunchtime.
우리 동아리는 점심시간 동안 505호 방에서 만난다.

012

throw
[θrou]
threw – thrown

동 ¹던지다 ²(파티를) 열다

Throw the ball to me. 내게 그 공을 던져라.
throw a party 파티를 열다

013

catch
[kætʃ]
caught – caught

동 ¹잡다, 받다 ²(병에) 걸리다

I want to **catch** a big fish. 나는 큰 물고기를 잡고 싶다.
catch a cold 감기에 걸리다

014

wrong

[rɔːŋ]

형 ^{1}틀린, 잘못된 ^{2}문제가 있는

Your answer is **wrong**. 네 답은 틀렸다.
What's **wrong**? You look worried. 뭐가 문제니? 너 걱정스러워 보여.

015

right

[rait]

형 ^{1}올바른 ^{2}맞는, 정확한 ^{3}오른쪽의

Use your smartphone in the **right** way.
당신의 스마트폰을 올바른 방법으로 사용하세요.
That's the **right** answer. 그것이 정답이다.

016

enough

[inʌf]

형 충분한 부 충분히

I don't have **enough** time. 나는 시간이 충분하지 않다.
Sleep **enough** at night. 밤에 잠을 충분히 자도록 해.

017

taste

[teist]

동 ^{1}~한 맛이 나다 ^{2}맛보다 명 맛

The chocolate cake **tasted** sweet. 그 초콜릿 케이크는 단 맛이 났다.
The **taste** of this soup is good. 이 수프의 맛은 좋다.

018

smell

[smel]

동 ^{1}~한 냄새가 나다 ^{2}냄새를 맡다 명 냄새, 향

My socks **smelled** bad. 내 양말은 지독한 냄새가 났다.
a sweet **smell** 달콤한 냄새

019

future

[fjúːtʃər]

명 미래, 장래 형 미래의, 장래의

Robots will do many things for people in the **future**.
미래에는 로봇이 사람들을 위해 많은 일을 할 것이다.

020

past

[pæst]

명 과거, 지난날 형 과거의, 지나간

In the **past**, people couldn't travel through the air.
과거에 사람들은 하늘을 날 수 없었다.

영어는 우리말로, 우리말은 영어로 쓰세요.

01	act	11	배우
02	smell	12	미래(의), 장래(의)
03	wrong	13	마음에 드는, 가장 좋아하는
04	past	14	계획(하다)
05	cap	15	좋아하다; ~처럼
06	catch	16	~한 맛이 나다; 맛보다; 맛
07	bring	17	충분한; 충분히
08	play	18	올바른; 맞는; 오른쪽의
09	travel	19	야구; 야구공
10	during	20	던지다; (파티를) 열다

함께 외우는 어휘 쌍

우리말을 보고 알맞은 단어를 쓰세요.

21		연기하다	—		배우
22		틀린, 잘못된	—		올바른; 맞는, 정확한
23		과거; 과거의	—		미래; 미래의
24		던지다	—		잡다, 받다

DAY 02

021

week
[wi:k]

명 주, 일주일

We have a test next **week**. 우리는 다음 주에 시험이 있다.

022

weekend
[wí:kènd]

명 주말

How was your **weekend**? 네 주말은 어땠니?

023

visit
[vízit]

동 방문하다 명 방문

I'm going to **visit** the Eiffel Tower.
나는 에펠탑을 방문할 것이다.
It's your first **visit** to Korea, right?
이번이 너의 첫 한국 방문이지, 그렇지?

024

welcome
[wélkəm]

동 환영하다, 맞이하다

His family **welcomed** us kindly.
그의 가족은 우리를 친절하게 맞이했다.

025

cook
[kuk]

동 요리하다 명 요리사

I **cooked** *ramyeon* for them.
나는 그들을 위해 라면을 요리했다.
He isn't a great **cook**, but we like his spaghetti.
그는 훌륭한 요리사는 아니지만, 우리는 그의 스파게티를 좋아한다.

026

delicious
[dilíʃəs]

형 맛있는

Let's make a **delicious** sandwich.
맛있는 샌드위치를 만들자.

027

breakfast
[brékfəst]

명 아침 식사

I have *nurungji* for **breakfast**.
나는 아침 식사로 누룽지를 먹는다.

028

dinner
[dínər]

명 저녁 식사

He is making pizza for **dinner**.
그는 저녁 식사로 피자를 만들고 있다.

029

drink
[driŋk]
drank – drunk

동 마시다 명 마실 것, 음료

Why don't you **drink** some juice? 주스를 좀 마시는 게 어때?
a soft **drink** 청량음료

030

enjoy
[indʒɔ́i]

동 즐기다, 즐거워하다

Koreans **enjoy** eating *samgyetang* on hot days.
한국인들은 더운 날에 삼계탕 먹기를 즐긴다.

031

trip
[trip]

명 (기간이 짧은) 여행

I'm enjoying my **trip** to Beijing. 나는 베이징 여행을 즐기는 중이다.
go on a **trip** 여행을 가다

032

start
[stɑːrt]

동 시작하다 명 시작

What time does the movie **start**?
그 영화는 몇 시에 시작하니?

033

finish
[fíniʃ]

동 끝내다, 마치다

I can **finish** the homework by six.
나는 6시까지 숙제를 끝낼 수 있다.

034

want

[wɑnt]

图 원하다, 바라다

She **wants** a new computer. 그녀는 새 컴퓨터를 원한다.
What do you **want** to be in the future?
너는 장래에 무엇이 되고 싶니?

035

become

[bikʌ́m]

became – become

图 ¹~이 되다 ²~(해)지다

I will **become** a great actor. 나는 훌륭한 배우가 될 것이다.
He **became** happy. 그는 행복해졌다.

036

earth

[əːrθ]

图 ¹지구 ²땅, 지면

The **earth** is becoming hotter. 지구는 점점 더워지고 있다.

037

save

[seiv]

图 ¹(위험에서) 구하다 ²(돈을) 저축하다 ³절약하다, 아끼다

We can **save** the earth. 우리는 지구를 구할 수 있다.
I **saved** 2,000 won last week. 나는 지난주에 2,000원을 저축했다.
You should **save** water. 너는 물을 아껴야 한다.

038

waste

[weist]

图 낭비하다 图 ¹낭비 ²쓰레기

Don't **waste** time. 시간을 낭비하지 마.
food **waste** 음식물 쓰레기

039

find

[faind]

found – found

图 찾다, 발견하다

Did you **find** your cell phone, John?
너는 휴대 전화를 찾았니, John?

040

another

[ənʌ́ðər]

图 ¹또 하나의 ²다른 때 또 하나의 것[사람]

Would you like **another** cup of cocoa?
코코아 한 잔을 더 드시겠어요?

영어는 우리말로, 우리말은 영어로 쓰세요.

01	trip	**11**	환영하다, 맞이하다
02	become	**12**	아침 식사
03	enjoy	**13**	요리하다; 요리사
04	week	**14**	지구; 땅, 지면
05	dinner	**15**	낭비(하다); 쓰레기
06	delicious	**16**	마시다; 마실 것, 음료
07	start	**17**	주말
08	save	**18**	방문(하다)
09	finish	**19**	찾다, 발견하다
10	another	**20**	원하다, 바라다

◢ 함께 외우는 어휘 쌍

우리말을 보고 알맞은 단어를 쓰세요.

21		아침 식사	—		저녁 식사
22		주, 일주일	—		주말
23		시작하다	—		끝내다, 마치다
24		절약하다, 아끼다	—		낭비하다

DAY 03

041

fresh

[freʃ]

형 신선한, 갓 딴[만든]

I'm going to eat **fresh** fish.
나는 신선한 생선을 먹을 것이다.

042

fruit

[fru:t]

명 과일

You should eat more fresh **fruit**.
너는 신선한 과일을 더 많이 먹어야 한다.

043

farm

[fɑːrm]

명 농장

They went to their uncle's **farm**.
그들은 그들의 삼촌의 농장에 갔다.

044

farmer

[fɑ́ːrmər]

명 농부, 농장주

The **farmer** has some chickens on his farm.
그 농부는 그의 농장에 닭을 몇 마리 가지고 있다.

045

water

[wɔ́ːtər]

명 물 동 물을 주다

Would you like some **water**? 물을 좀 드시겠어요?
Can you **water** the flowers? 꽃에 물을 주겠니?

046

bottle

[bátl]

명 ¹병 ²한 병(의 양)

Can you open this **bottle** for me? 나를 위해 이 병을 열어 주겠니?
a **bottle** of water 물 한 병

047

same
[seim]

형 같은

We are in the **same** class. 우리는 같은 반이다.

048

different
[dífərənt]

형 ¹다른, 차이가 있는 ²여러 가지의

My brother and I are very **different**. 내 남동생과 나는 매우 다르다.
different kinds of fruits 여러 가지 종류의 과일들

049

carry
[kǽri]

동 ¹나르다, 운반하다 ²가지고 다니다

I can **carry** the boxes for you.
내가 너를 위해 그 상자들을 옮겨줄 수 있어.
I always **carry** this bag with me. 나는 항상 이 가방을 가지고 다닌다.

050

drop
[drɑp]

동 떨어지다, 떨어뜨리다   명 방울

He **dropped** his cap in the water.
그는 물속에 그의 모자를 떨어뜨렸다.
drops of rain 빗방울

051

hold
[hould]
held – held

동 ¹잡다 ²개최하다

They **held** one another's hands. 그들은 서로의 손을 잡았다.
hold the Olympic Games 올림픽을 개최하다

052

behind
[biháind]

전 (위치) ~ 뒤에

A bike is coming **behind** you. 네 뒤에 자전거가 오고 있어.

053

introduce
[ìntrədjúːs]

동 소개하다

Let me **introduce** my cat, Lucy.
내 고양이 Lucy를 소개할게.

054

draw

[drɔ:]

drew – drawn

동 (연필 등으로) 그리다

I **drew** my face. 나는 내 얼굴을 그렸다.

055

drawing

[drɔ́:iŋ]

명 그림, 소묘

The boy is taking a **drawing** class.
그 소년은 그림 수업을 받고 있다.

056

dream

[dri:m]

명 꿈 동 꿈을 꾸다

My **dream** is to become a cook. 내 꿈은 요리사가 되는 것이다.
Do dogs **dream**? 개들은 꿈을 꾸니?

057

famous

[féiməs]

형 유명한

Romeo and Juliet is a **famous** love story.
'로미오와 줄리엣'은 유명한 사랑 이야기이다.

058

exercise

[éksərsàiz]

명 운동 동 운동하다

Walking is good **exercise**. 걷는 것은 좋은 운동이다.
Do you **exercise** every day? 너는 매일 운동하니?

059

important

[impɔ́:rtənt]

형 중요한

Eating breakfast is **important**. 아침 식사를 먹는 것은 중요하다.

060

because

[bikɔ́:z]

접 ~ 때문에, 왜냐하면

Ann can't go to the party **because** she has a test tomorrow.
Ann은 내일 시험이 있기 때문에 파티에 갈 수 없다.

영어는 우리말로, 우리말은 영어로 쓰세요.

01	same	11	농부, 농장주
02	drop	12	잡다; 개최하다
03	bottle	13	다른; 여러 가지의
04	famous	14	(위치) ~ 뒤에
05	fresh	15	나르다; 가지고 다니다
06	draw	16	운동(하다)
07	water	17	소개하다
08	fruit	18	중요한
09	dream	19	그림, 소묘
10	farm	20	~ 때문에, 왜냐하면

함께 외우는 어휘 쌍
우리말을 보고 알맞은 단어를 쓰세요.

21 [   ] 그리다 — [   ] 그림, 소묘

22 [   ] 같은 — [   ] 다른, 차이가 있는

23 [   ] 농장 — [   ] 농부, 농장주

DAY 04

061

know

[nou]

knew – known

동 알다, 알고 있다

Chris **knows** some Korean words.
Chris는 몇몇 한국어 단어들을 알고 있다.

062

guess

[ges]

동 추측하다, 짐작하다 명 추측, 짐작

I **guess** that Lisa is French. 나는 Lisa가 프랑스인이라고 추측한다.
make a **guess** 추측하다

063

watch

[wɑtʃ]

동 보다, 지켜보다 명 손목시계

She **watches** a lot of Korean dramas.
그녀는 한국 드라마를 많이 본다.
Is this **watch** yours? 이 손목시계가 네 것이니?

064

turn

[təːrn]

동 돌다, 돌리다 명 차례, 순번

Turn your head to the left. 네 머리를 왼쪽으로 돌려라.
It's your **turn**. 네 차례이다.

065

hit

[hit]

hit – hit

동 치다, 때리다

I can't **hit** the ball well.
나는 공을 잘 칠 수 없다.

066

fix

[fiks]

동 고치다, 수리하다

Can you please **fix** my computer?
제 컴퓨터를 고쳐주시겠어요?

067

join

[dʒɔin]

동 ¹가입하다 ²함께 하다

Let's **join** the photo club. 사진 동아리에 가입하자.
Will you **join** us for lunch? 너 우리와 점심 식사를 함께 하겠니?

068

along

[əlɔ́ːŋ]

전 ~을 따라

I went inline skating **along** the Han River.
나는 한강을 따라 인라인스케이트를 탔다.

069

ahead

[əhéd]

부 앞에[앞으로]

The sign said, "School **Ahead**, Go Slow!"
그 표지판에는 '학교 앞 서행!'이라고 적혀 있었다.

070

move

[muːv]

동 ¹움직이다 ²이사하다 명 움직임

Move your head up and down. 머리를 위아래로 움직여라.
He **moved** to Busan. 그는 부산으로 이사 갔다.

071

heavy

[hévi]

형 무거운

These books are too **heavy**. 이 책들은 너무 무겁다.

072

light

[lait]

명 ¹빛 ²(전깃)불, 전등 형 가벼운

Too much **light** isn't good for your eyes.
너무 강한 빛은 네 눈에 좋지 않다.
Can you turn off the **lights**? 불을 꺼 주겠니?
This box is very **light**. 이 상자는 매우 가볍다.

073

place

[pleis]

명 장소, 곳 동 두다, 놓다

My favorite **place** is Ssamziegil.
내가 가장 좋아하는 장소는 쌈지길이다.
He **placed** his bag under a tree.
그는 그의 가방을 나무 아래에 두었다.

074
library
[láibrèri]

명 도서관

We have many books in our **library**.
우리 도서관에는 책이 많이 있다.

075
science
[sáiəns]

명 과학

I'm interested in **science**. 나는 과학에 관심이 있다.

076
scientist
[sáiəntist]

명 과학자

Newton was a great **scientist**. 뉴턴은 훌륭한 과학자였다.

077
cool
[ku:l]

형 ¹서늘한, 시원한 ²멋진

It's windy and **cool**. 바람이 불고 서늘하다.
Your cell phone looks so **cool**. 네 휴대 전화는 정말 멋져 보인다.

078
warm
[wɔːrm]

형 따뜻한

It's **warm** in spring. 봄에는 날씨가 따뜻하다.

079
pretty
[príti]

형 예쁜 부 꽤, 상당히

Pretty flowers make me happy. 예쁜 꽃들은 나를 행복하게 한다.
It's **pretty** warm today. 오늘은 날씨가 꽤 따뜻하다.

080
ugly
[ʌ́gli]

형 못생긴, 추한

My hair looked so **ugly** yesterday, didn't it?
내 머리가 어제 아주 추해 보였지, 그렇지 않니?

영어는 우리말로, 우리말은 영어로 쓰세요.

01	hit	**11**	알다, 알고 있다
02	pretty	**12**	따뜻한
03	science	**13**	가입하다; 함께 하다
04	ahead	**14**	도서관
05	fix	**15**	움직이다; 이사하다
06	place	**16**	보다, 지켜보다; 손목시계
07	along	**17**	과학자
08	guess	**18**	못생긴, 추한
09	light	**19**	돌다, 돌리다; 차례, 순번
10	cool	**20**	무거운

> ◀ 함께 외우는 어휘 쌍

우리말을 보고 알맞은 단어를 쓰세요.

21 _____ 과학 — _____ 과학자

22 _____ 서늘한, 시원한 — _____ 따뜻한

23 _____ 무거운 — _____ 가벼운

24 _____ 예쁜 — _____ 못생긴, 추한

DAY 05

081

sit

[sit]

sat – sat

통 앉다

Let's **sit** on the bench over there.
저기 벤치에 앉자.

082

stand

[stænd]

stood – stood

통 서다, 서 있다

She was **standing** at the bus stop.
그녀는 버스 정류장에 서 있었다.

083

floor

[flɔːr]

명 ¹(실내의) 바닥 ²(건물의) 층

He's sitting on the **floor**. 그는 바닥에 앉아 있다.
Take the escalator to the second **floor**.
2층까지 에스컬레이터를 타고 가세요.

084

age

[eidʒ]

명 나이

Can you guess his **age**?
넌 그의 나이를 추측할 수 있니?

085

work

[wəːrk]

통 ¹일하다 ²노력하다 ³(기계 등이) 작동되다 명 일, 직장

I **work** on Mr. Brown's farm. 나는 Brown 씨의 농장에서 일한다.
My computer is not **working**. 내 컴퓨터가 작동되지 않는다.

086

rest

[rest]

명 ¹휴식 ²나머지 통 쉬다, 휴식하다

Go home and get some **rest**. 집에 가서 좀 쉬도록 해.
You can **rest** in your seat. 너는 네 자리에서 쉬어도 된다.

087

yesterday

[jéstərdèi]

<u>부</u> <u>명</u> **어제**

What did you do **yesterday**? 너는 어제 무엇을 했니?

088

tomorrow

[təmɔ́ːrou]

<u>부</u> <u>명</u> **내일**

Are you free **tomorrow**? 너는 내일 한가하니?

089

again

[əgén]

<u>부</u> **한 번 더, 다시**

I was happy to see you **again**. 난 너를 다시 봐서 기뻤어.

090

agree

[əgríː]

<u>동</u> **동의하다**

Do you **agree** with me? 너는 내 말에 동의하니?

091

way

[wei]

<u>명</u> ¹**길** ²**방법, 방식**

He sang on the **way** to school. 그는 학교 가는 길에 노래를 했다.
Let's think about this in a different **way**.
이것을 다른 방식으로 생각해 보자.

092

before

[bifɔ́ːr]

<u>전</u> **~ 전에, ~ 앞에** <u>접</u> **~하기 전에**

Do you go to bed **before** 10? 너는 10시 전에 자러 가니?
I read a book **before** I go to bed. 나는 자러 가기 전에 책을 읽는다.

093

after

[ǽftər]

<u>전</u> **~ 후에** <u>접</u> **~한 후에**

What are you going to do **after** school? 넌 방과 후에 뭐 할 거니?
After I had dinner, I went to the park.
나는 저녁 식사를 한 후에, 공원에 갔다.

094

animal

[ǽnəməl]

명 동물

They went to the zoo to see **animals**.
그들은 동물들을 보기 위해 동물원에 갔다.

095

plant

[plænt]

명 식물 동 (식물 등을) 심다

He's watering the **plant**. 그는 식물에 물을 주고 있다.
We **planted** some trees. 우리는 나무를 좀 심었다.

096

cute

[kjuːt]

형 귀여운, 예쁜

His dog is very **cute**. 그의 개는 매우 귀엽다.

097

about

[əbáut]

전 ~에 대한 부 약, ~쯤

This book is **about** sea animals. 이 책은 해양 동물들에 관한 것이다.
The library has **about** 95,000 books.
그 도서관은 약 9만 5천 권의 책을 가지고 있다.

098

ask

[æsk]

동 ¹묻다 ²부탁하다, 요청하다

The boy **asked**, "Is that true?"
그 소년은 "그것이 사실인가요?"라고 물었다.
ask for help 도움을 요청하다

099

question

[kwéstʃən]

명 질문, 의문

Can I ask you a **question**? 제가 질문 하나 해도 될까요?

100

answer

[ǽnsər]

동 대답하다 명 대답, 답

She **answered**, "No, thanks."
그녀는 "고맙지만, 괜찮아요."라고 대답했다.

영어는 우리말로, 우리말은 영어로 쓰세요.

01	after	11	앉다
02	animal	12	~ 전에, ~ 앞에; ~하기 전에
03	cute	13	내일
04	answer	14	질문, 의문
05	yesterday	15	한 번 더, 다시
06	stand	16	식물; (식물 등을) 심다
07	way	17	나이
08	rest	18	일하다; 노력하다; 일, 직장
09	agree	19	(실내의) 바닥; (건물의) 층
10	ask	20	~에 대한; 약, ~쯤

함께 외우는 어휘 쌍

우리말을 보고 알맞은 단어를 쓰세요.

21		앉다	—		서다, 서 있다
22		질문, 의문	—		대답, 답
23		~ 전에; ~하기 전에	—		~ 후에; ~한 후에
24		동물	—		식물

Idioms in Use DAY 01-05

5회독 체크

DAY 01 012

throw away

버리다, 낭비하다

Don't **throw** the plastic bottle **away**.
플라스틱 병을 버리지 마세요.

DAY 02 039

find out

~을 알아내다, ~을 알게 되다

I want to **find out** more about future jobs.
나는 미래의 직업에 관해 더 알고 싶다.

DAY 03 057

be famous for

~으로 유명하다

India **is famous for** its curry.
인도는 카레로 유명하다.

DAY 04 064

turn on[off]

(전기 · 가스 · 수도 등을) 켜다[끄다]

Will you **turn on** the light?
불을 좀 켜 주겠니?
You should **turn off** the TV.
너는 TV를 꺼야 한다.

DAY 05 091

on one's way to

~로 가는 길에

On my way to school, I saw a pretty bird.
학교로 가는 길에, 나는 예쁜 새를 보았다.

Spelling Puzzle

Can you spell these words?

rotac (배우)

1 _____

ehvya (무거운)

2 _____

altpn (식물)

3 _____

etsaw (낭비하다; 낭비)

4 _____

xceieers (운동; 운동하다)

5 _____

idehbn (~ 뒤에)

6 _____

ylbirra (도서관)

7 _____

elmls (냄새가 나다; 냄새)

8 _____

DAY 06

101

art

[ɑːrt]

명 ¹예술 ²미술

I'm drawing a picture for my **art** class.
나는 미술 수업을 위해 그림을 그리는 중이다.

102

artist

[ɑ́ːrtist]

명 예술가, 화가

Kim Hongdo was a famous **artist**.
김홍도는 유명한 화가였다.

103

see

[siː]

saw – seen

동 ¹보다 ²알다, 이해하다

I want to **see** his paintings. 나는 그의 그림들을 보고 싶다.
"You should save water." "I **see**."
"너는 물을 아껴야 해." "알겠어요."

104

begin

[bigín]

began – begun

동 시작하다, 시작되다

When does the class **begin**?
수업은 언제 시작하니?

105

end

[end]

동 끝나다, 끝내다   명 끝, 말(末)

The baseball game **ended** at 9. 그 야구 경기는 9시에 끝났다.
at the **end** of the year 연말에

106

diary

[dáiəri]

명 일기

This is Kelly's travel **diary**. 이것은 Kelly의 여행 일기이다.
keep a **diary** 일기를 쓰다

107

heart
[hɑːrt]

명 ^{1}심장 ^{2}마음

My **heart** is beating fast. 내 심장이 빠르게 뛰고 있다.
She has a kind **heart**. 그녀는 마음씨가 친절하다.

108

alone
[əlóun]

형 ^{1}혼자인 ^{2}외로운 부 혼자

When I am **alone**, I read books. 나는 혼자일 때, 책을 읽는다.
Does he live **alone**? 그는 혼자 사니?

109

together
[təgéðər]

부 함께, 같이

I meet my friends to go shopping **together**.
나는 함께 쇼핑 가기 위해 친구들을 만난다.

110

dish
[diʃ]

명 ^{1}접시 ^{2}요리, 음식

I put the **dish** on the table. 나는 식탁 위에 접시를 놓았다.
Spaghetti is my favorite **dish**.
스파게티는 내가 가장 좋아하는 음식이다.

111

pick
[pik]

동 ^{1}고르다, 선택하다 ^{2}(과일 등을) 따다, (꽃을) 꺾다

Pick a card. 카드 한 장을 선택해라.
The farmer **picked** oranges on the farm.
그 농부는 농장에서 오렌지를 땄다.

112

vegetable
[védʒətəbl]

명 채소

Dad picked some **vegetables** and made *bibimbap* for lunch.
아빠는 채소를 좀 따서 점심으로 비빔밥을 만드셨다.

113

meat
[miːt]

명 고기, 육류

My favorite **meat** is beef.
내가 가장 좋아하는 고기는 소고기이다.

114

city
[síti]

명 도시

New York is a big **city**. 뉴욕은 대도시이다.

115

country
[kʌ́ntri]

명 ¹나라 ²(the ~) 시골

Which **country** is bigger, the U.S. or Canada?
미국과 캐나다 중에 어느 나라가 더 크니?

116

company
[kʌ́mpəni]

명 회사

Steve Jobs was the CEO of an IT **company**.
스티브 잡스는 IT(정보통신 기술) 회사의 최고 경영자였다.

117

near
[niər]

전 ~ 가까이에 형 가까운 부 가까이

He lives **near** the park. 그는 공원 가까이에 산다.
in the **near** future 가까운 장래에

118

far
[fɑːr]

부 멀리 형 먼

She lives **far** from school. 그녀는 학교에서 멀리 산다.

119

from
[frəm]

전 ¹(출발지) ~에서(부터) ²(시작 시각) ~부터 ³~ 출신의

How far is it **from** here? 여기서 얼마나 먼가요?
The library is open **from** 9 to 5. 도서관은 9시부터 5시까지 연다.
I'm Judy **from** Australia. 나는 호주에서 온 Judy이다.

120

across
[əkrɔ́ːs]

전 ¹~을 가로질러 ²~ 건너편에, ~ 맞은편에

They traveled **across** the sea on a boat.
그들은 배를 타고 바다를 가로질러 여행했다.
across the street 도로 맞은편에

영어는 우리말로, 우리말은 영어로 쓰세요.

01	dish	11	심장; 마음
02	art	12	나라; 시골
03	alone	13	예술가, 화가
04	from	14	함께, 같이
05	begin	15	~을 가로질러; ~ 건너편에
06	far	16	고기, 육류
07	pick	17	채소
08	city	18	끝나다, 끝내다; 끝, 말
09	see	19	일기
10	company	20	가까이; ~ 가까이에

▲ **함께 외우는 어휘 쌍**

우리말을 보고 알맞은 단어를 쓰세요.

21		예술; 미술	—	예술가, 화가
22		시작하다, 시작되다	—	끝나다, 끝내다
23		혼자	—	함께, 같이
24		가까이; 가까운	—	멀리; 먼

DAY 07

121

put
[put]
put – put

동 놓다, 두다, 넣다

He **put** candies in a basket. 그는 사탕을 바구니에 넣었다.

122

need
[niːd]

동 ¹필요하다 ²~해야 하다 명 필요

I **need** a baseball glove. 나는 야구 글러브가 필요하다.
You **need** to go to bed now. 너는 지금 자러 가야 한다.

123

help
[help]

동 돕다 명 도움

Can you **help** me? 너는 나를 도와줄 수 있니?
Thank you for your **help**. 도와줘서 고마워.

124

glass
[glæs]

명 ¹유리 ²한 잔(의 양) ³(-es) 안경

You should not throw away **glass** bottles.
너는 유리병을 버려서는 안 된다.
a **glass** of milk 우유 한 잔

125

look
[luk]

동 ¹보다 ²~하게 보이다

Look at the clock. 시계를 봐.
You **look** sad. 너 슬퍼 보여.

126

sound
[saund]

명 소리, 음 동 ~하게 들리다

I like the **sound** of the ukulele. 나는 우쿨렐레 소리를 좋아한다.
This song **sounds** happy. 이 노래는 행복하게 들린다.

127

eat

[iːt]

ate – eaten

동 먹다

What did you **eat** for lunch? 너는 점심으로 무엇을 먹었니?

128

hungry

[hʌ́ŋgri]

형 배고픈

I'm **hungry**. Let's eat something. 나는 배가 고파. 무언가를 먹자.

129

food

[fuːd]

명 음식, 식량

Pizza is a famous Italian **food**. 피자는 유명한 이탈리아의 음식이다.

130

seafood

[síːfùːd]

명 해산물

I can eat fresh **seafood** in Busan.
나는 부산에서 신선한 해산물을 먹을 수 있다.

131

restaurant

[réstərənt]

명 식당, 음식점

We had dinner at a Korean **restaurant**.
우리는 한식당에서 저녁을 먹었다.

132

cold

[kould]

형 추운, 차가운   명 ¹추위 ²감기

It is very **cold** in winter. 겨울은 매우 춥다.
I think I have a **cold**. 나는 감기에 걸린 것 같다.

133

heat

[hiːt]

명 ¹열기, 열 ²더위   동 가열하다, 데우다

The bottles can't be near **heat**. 병들은 열 가까이에 있으면 안 된다.
The farmer is working in the **heat** of summer.
그 농부는 여름의 더위 속에서 일하고 있다.
Heat the milk. 우유를 데워라.

134

fall

[fɔːl]

fell – fallen

동 ¹떨어지다 ²넘어지다, 쓰러지다   명 가을

A yellow leaf **fell** from a tree. 노란색 잎이 나무에서 떨어졌다.
The girl **fell** on the ice. 그 소녀는 얼음 위에서 넘어졌다.
In late **fall**, it gets cold. 늦가을에는 날이 추워진다.

135

often

[ɔ́ːfən]

부 종종, 자주

I **often** visit my friends' blogs.
나는 내 친구들의 블로그를 종종 방문한다.

136

keep

[kiːp]

kept – kept

동 ¹(상태 등을) 유지하다 ²~을 계속하다

We must **keep** this park clean.
우리는 이 공원을 깨끗하게 유지해야 한다.
Keep swimming. 계속해서 수영해라.

137

hard

[hɑːrd]

형 ¹어려운 ²단단한, 딱딱한   부 열심히

The English test was **hard**. 영어 시험은 어려웠다.
The cheese is too **hard**. 그 치즈는 너무 딱딱하다.
He works **hard** for his future. 그는 미래를 위해 열심히 일한다.

138

soft

[sɔːft]

형 부드러운

The baby's skin was very **soft**. 그 아기의 피부는 매우 부드러웠다.

139

forget

[fərɡét]

forgot – forgotten

동 잊다

Don't **forget** to bring your cap.
네 모자를 가져올 것을 잊지 마.

140

remember

[rimémbər]

동 기억하다

Do you **remember** her name?
너는 그녀의 이름을 기억하니?

영어는 우리말로, 우리말은 영어로 쓰세요.

01	often	11	먹다
02	glass	12	해산물
03	look	13	돕다; 도움
04	food	14	놓다, 두다, 넣다
05	fall	15	추운, 차가운; 추위; 감기
06	hard	16	기억하다
07	keep	17	배고픈
08	forget	18	부드러운
09	need	19	식당, 음식점
10	heat	20	소리, 음; ~하게 들리다

▶ **함께 외우는 어휘 쌍**

우리말을 보고 알맞은 단어를 쓰세요.

21		열기, 열; 더위	—		추위
22		음식, 식량	—		해산물
23		잊다	—		기억하다
24		단단한, 딱딱한	—		부드러운

141

show

[ʃou]

showed – shown

⑧ 보여 주다 ⑲ ¹쇼, 공연 ²프로그램

I'll **show** you my album. 네게 내 앨범을 보여 줄게.
Are you going to go to the robot **show**? 너는 로봇 쇼에 갈 거니?

142

picture

[píktʃər]

⑲ ¹그림 ²사진

The boy is drawing a **picture**. 그 소년은 그림을 그리고 있다.
Can you take a **picture** of me? 내 사진을 찍어주겠니?

143

hobby

[hábi]

⑲ 취미

Kate's **hobby** is taking pictures.
Kate의 취미는 사진을 찍는 것이다.

144

school

[sku:l]

⑲ 학교

I'm in the first year of middle **school**.
나는 중학교 1학년이다.

145

classroom

[klǽsrùːm]

⑲ 교실, 강의실

Sally is now in her **classroom**.
Sally는 지금 그녀의 교실에 있다.

146

classmate

[klǽsmèit]

⑲ 반 친구

Let me introduce our new **classmate**, Evan.
새로운 우리 반 친구인 Evan을 소개할게요.

147

homework

[hóumwə̀:rk]

명 숙제, 과제

I need to do my science **homework**.
나는 과학 숙제를 해야 한다.

148

study

[stʌ́di]

동 공부하다, 연구하다   명 공부, 연구

Julia **studies** Korean every day.
Julia는 매일 한국어를 공부한다.

149

learn

[lə:rn]

동 배우다, 익히다

I am **learning** *taegwondo* in school.
나는 학교에서 태권도를 배우고 있다.

150

teach

[ti:tʃ]

taught – taught

동 가르치다

Mr. Jones **teaches** English to Korean students.
Jones 씨는 한국인 학생들에게 영어를 가르친다.

151

teacher

[tí:tʃər]

명 교사, 선생

We have a new art **teacher**.
우리에겐 새 미술 선생님이 계신다.

152

student

[stʲu:dənt]

명 학생

I am a middle school **student**.
나는 중학생이다.

153

lesson

[lésn]

명 ¹수업 ²교훈

Why don't you take **lessons** online?
온라인으로 수업을 듣는 게 어때?
This story teaches us an important **lesson**.
이 이야기는 우리에게 중요한 교훈을 가르친다.

154

number
[nʌ́mbər]

명 ¹수, 숫자 ²번호

I don't like **number** four. 나는 숫자 4를 좋아하지 않는나.
a phone **number** 전화번호

155

dialogue
[dáiəlɔ̀ːg]
(= dialog)

명 (책 · 영화 등에 나오는) 대화

Listen to the **dialogue** one more time. 대화를 한 번 더 들으세요.

156

easy
[íːzi]

형 쉬운

Making a robot will not be **easy**. 로봇 만들기는 쉽지 않을 것이다.

157

difficult
[dífikʌ̀lt]

형 어려운

English is **difficult** for me. 영어는 내게 어렵다.

158

exam
[igzǽm]
(= examination)

명 시험

Alice is studying hard for an **exam**.
Alice는 시험 공부를 열심히 하고 있다.

159

worry
[wə́ːri]

동 걱정하다 명 걱정, 고민거리

Don't **worry**. I'll help you. 걱정하지 마. 내가 도와줄게.
Why don't you tell your **worries** to your teacher?
선생님께 네 고민들을 이야기해 보는 게 어때?

160

problem
[prábləm]

명 ¹(다루기 힘든) 문제 ²(시험 등의) 문제

Bad air is a big **problem**. 나쁜 공기는 중대한 문제이다.
This math **problem** is too difficult. 이 수학 문제는 너무 어렵다.

영어는 우리말로, 우리말은 영어로 쓰세요.

01	exam	11	취미
02	worry	12	보여 주다; 쇼, 공연
03	dialogue	13	학교
04	classroom	14	(다루기 힘든) 문제
05	teach	15	쉬운
06	difficult	16	그림; 사진
07	number	17	교사, 선생
08	learn	18	숙제, 과제
09	student	19	반 친구
10	lesson	20	공부(하다), 연구(하다)

함께 외우는 어휘 쌍

우리말을 보고 알맞은 단어를 쓰세요.

21		가르치다	—		배우다, 익히다
22		교사, 선생	—		학생
23		쉬운	—		어려운
24		교실	—		반 친구

DAY 09

5회독 체크

161

buy
[bai]
bought – bought

동 사다, 구입하다

He's going to **buy** new shoes. 그는 새 신발을 살 것이다.
Mom **bought** me a nice guitar. 엄마는 내게 멋진 기타를 사 주셨다.

162

sell
[sel]
sold – sold

동 ¹팔다 ²팔리다

She will **sell** her old car. 그녀는 그녀의 낡은 차를 팔 것이다.
This book **sells** well. 이 책은 잘 팔린다.

163

money
[máni]

명 돈

I will save **money** to buy a bike.
나는 자전거를 사기 위해 돈을 저축할 것이다.
pocket **money** 용돈

164

rich
[ritʃ]

형 ¹부유한, 부자인 ²~이 풍부한

The young man is **rich**. 그 젊은 남자는 부자이다.
Lemons are **rich** in vitamin C. 레몬은 비타민 C가 풍부하다.

165

poor
[puər]

형 ¹가난한 ²불쌍한

They can't buy a car because they are **poor**.
그들은 가난해서 차를 살 수 없다.

166

busy
[bízi]

형 ¹바쁜 ²혼잡한

Somi is **busy** with a lot of homework. 소미는 숙제가 많아서 바쁘다.
a **busy** street 번화가

167

feel
[fiːl]
felt – felt

동 ¹(감정·기분을) 느끼다 ²촉감이 ~하다

I **feel** happy on Christmas. 나는 크리스마스에 행복함을 느낀다.
My hair **feels** soft. 내 머리카락은 촉감이 부드럽다.

168

fine
[fain]

형 ¹훌륭한, 좋은 ²건강한 ³괜찮은

It will be **fine** tomorrow. 내일은 날씨가 좋을 것이다.
"How are you?" "I'm **fine**, thanks."
"어떻게 지내?" "나는 잘 지내, 고마워."
Saturday afternoon is **fine** with me. 나는 토요일 오후가 괜찮아.

169

miss
[mis]

동 ¹그리워하다 ²놓치다

Grandma! I **missed** you so much!
할머니! 저는 할머니가 아주 많이 그리웠어요!
Don't **miss** the show! 그 쇼를 놓치지 마세요!

170

family
[fǽməli]

명 가족

My **family** is important to me. 나의 가족은 내게 중요하다.

171

parent
[pέərənt]

명 (-s) 부모

My sister and I will make lunch for our **parents**.
내 여동생과 나는 부모님을 위해 점심을 만들 것이다.

172

grandparent
[grǽndpὲərənt]

명 (-s) 조부모

We visited our **grandparents** on Sunday.
우리는 일요일에 조부모님을 방문했다.

173

cousin
[kʌ́zn]

명 사촌

I'm going to go to Jeonju with my **cousin**.
나는 내 사촌과 함께 전주에 갈 것이다.

174

bread

[bred]

명 빵

The **bread** tastes great. 그 빵은 정말 맛있다.

175

bake

[beik]

동 (빵 등을) 굽다

She likes to **bake** bread and cookies.
그녀는 빵과 쿠키 굽는 것을 좋아한다.

176

bakery

[béikəri]

명 빵집, 제과점

I go to the **bakery** to buy bread. 나는 빵을 사기 위해 빵집에 간다.

177

around

[əráund]

전 ~ 주위에 부 약, ~쯤

After dinner, we sat **around** the fire.
저녁 식사 후에, 우리는 모닥불 주위에 둘러앉았다.
We arrived here **around** ten o'clock.
우리는 10시쯤에 여기 도착했다.

178

town

[taun]

명 마을

There is a big park in my **town**. 우리 마을에는 큰 공원이 있다.

179

museum

[mjuːzíːəm]

명 박물관, 미술관

Jiho and I are going to visit the science **museum**.
지호와 나는 과학 박물관을 방문할 것이다.

180

idea

[aidíːə]

명 생각, 의견, 발상

Do you have any **ideas** for the party?
파티를 위한 무슨 의견이 있니?
That's a good **idea**. 그것 좋은 생각이다.

영어는 우리말로, 우리말은 영어로 쓰세요.

01 bread

02 parent

03 museum

04 bake

05 around

06 buy

07 family

08 rich

09 town

10 idea

11 사촌

12 조부모

13 훌륭한, 좋은; 건강한

14 돈

15 팔다; 팔리다

16 (감정·기분을) 느끼다

17 바쁜; 혼잡한

18 그리워하다; 놓치다

19 빵집, 제과점

20 가난한; 불쌍한

▶ 함께 외우는 어휘 쌍

우리말을 보고 알맞은 단어를 쓰세요.

21 _____ (빵 등을) 굽다 — _____ 빵집, 제과점

22 _____ 사다, 구입하다 — _____ 팔다; 팔리다

23 _____ 부유한, 부자인 — _____ 가난한

24 _____ 부모 — _____ 조부모

DAY 10

181

sick
[sik]

형 아픈, 병든

I want to help **sick** animals.
나는 아픈 동물들을 돕고 싶다.

182

hospital
[háspitəl]

명 병원

She's sick in the **hospital**.
그녀는 아파서 병원에 입원해 있다.

183

doctor
[dáktər]

명 의사

You need to go see a **doctor**.
너는 의사의 진찰을 받아야 한다.

184

nurse
[nə:rs]

명 간호사

The **nurse** works in a hospital.
간호사는 병원에서 근무한다.

185

person
[pə́:rsən]

명 사람, 개인

I want to be a **person** like my mom.
나는 우리 엄마 같은 사람이 되고 싶다.

186

people
[pí:pl]

명 ¹사람들 ²(the ~) 국민, 민족

Two **people** are doing *ssireum*.
두 사람이 씨름을 하고 있다.
the American **people** 미국인

187

clean
[kliːn]

형 깨끗한　동 청소하다, (깨끗이) 닦다

The hotel is very **clean**. 그 호텔은 매우 깨끗하다.
Can you **clean** the living room? 거실을 청소해 주겠니?

188

dirty
[dɔ́ːrti]

형 더러운, 지저분한

The table is **dirty**. I have to clean it.
탁자가 지저분하다. 나는 그것을 치워야 한다.

189

air
[ɛər]

명 ¹공기 ²공중, 허공

Let's go out and get some fresh **air**. 나가서 신선한 공기를 좀 쐬자.
Throw the ball in the **air**. 공중에 공을 던져라.

190

job
[dʒɑb]

명 ¹일, 직업 ²역할, 책임

Food artist is my dream **job**.
푸드 아티스트(음식 예술가)는 내가 꿈꾸는 직업이다.
It's not my **job** to clean the floor.
바닥을 청소하는 것은 내 책임이 아니다.

191

decide
[disáid]

동 결정하다, 결심하다

She **decided** to be a writer when she was in middle school.
그녀는 중학교에 다닐 때 작가가 되기로 결심했다.

192

as
[æz]

전 (자격·기능 등이) ~로서　접 ¹~하는 동안에 ²~이기 때문에

Now, he works **as** a doctor. 현재, 그는 의사로 일한다.
As he was cooking, I watched TV.
그가 요리를 하는 동안에, 나는 TV를 보았다.

193

top
[tɑp]

명 맨 위, 꼭대기, 정상　형 맨 위의, 최고인

There is a lake on **top** of the mountain.
그 산의 정상에 호수가 있다.

194

glad

[glæd]

형 기쁜, 반가운

I'm **glad** to see you. 당신을 만나 기쁩니다.

195

upset

[ʌpsét]

형 화가 난, 속상한

Ben was **upset** when he failed the exam.
Ben은 시험에 낙제했을 때 속상했다.

196

some

[səm] / [sʌm]

형 몇몇의, 약간의 대 몇몇, 약간

Can I eat **some** cake now? 제가 지금 케이크를 조금 먹어도 될까요?
Some of my classmates aren't studying hard.
우리 반 친구들 몇몇은 열심히 공부하지 않고 있다.

197

thing

[θiŋ]

명 ¹것, 물건 ²일

She is bringing many **things** in her bag.
그녀는 가방에 많은 것들을 가지고 간다.

198

wear

[wɛər]

wore – worn

동 입고[신고/쓰고] 있다

My teacher **wears** glasses. 우리 선생님은 안경을 쓰신다.
Is he **wearing** green pants? 그는 초록색 바지를 입고 있니?

199

over

[óuvər]

전 ¹~ 위에[위로] ²~이 넘는, ~ 이상의 부 너머, 건너

The ball flew **over** Mike's head. 공이 Mike의 머리 위로 날아갔다.
My grandma is **over** ninety. 우리 할머니는 아흔이 넘으셨다.
Shirts are right **over** there. 셔츠들은 바로 저기 있습니다.

200

under

[ʌ́ndər]

전 ¹~ 아래에 ²~ 미만의

They are getting some rest **under** the tree.
그들은 나무 아래에서 쉬고 있다.

영어는 우리말로, 우리말은 영어로 쓰세요.

01	clean	11	병원
02	wear	12	일, 직업; 역할, 책임
03	as	13	결정하다, 결심하다
04	thing	14	간호사
05	doctor	15	더러운, 지저분한
06	glad	16	화가 난, 속상한
07	person	17	사람들; 국민, 민족
08	some	18	공기; 공중, 허공
09	over	19	맨 위, 꼭대기; 맨 위의
10	sick	20	~ 아래에; ~ 미만의

◢ 함께 외우는 어휘 쌍

우리말을 보고 알맞은 단어를 쓰세요.

21		사람, 개인	—	사람들
22		깨끗한	—	더러운, 지저분한
23		기쁜	—	화가 난, 속상한
24		~ 위에	—	~ 아래에

Idioms in Use DAY 06-10

DAY 06 111 ■■■■■

pick up

~을 집다[들어 올리다]

Pick up a piece of bread with a fork.
포크로 빵 한 조각을 집어라.

DAY 06 120 ■■■■■

across from

~의 건너편에, ~의 맞은편에

The library is **across from** the park.
도서관은 공원 맞은편에 있다.

DAY 07 125 ■■■■■

look like

~처럼 보이다

Baby tigers **look like** cats.
새끼 호랑이는 고양이처럼 보인다.
What does your sister **look like**?
네 여동생은 외모가 어떻게 생겼니?

DAY 07 127 ■■■■■

eat out

외식하다

Are you going to **eat out** tonight?
너는 오늘밤에 외식할 거니?

DAY 08 141 ■■■■■

show ~ around

~에게 구경시켜 주다

I'll **show** you **around** my city.
내가 네게 우리 도시를 구경시켜 줄게.

Word Puzzle

Find the words.

H	M	C	S	N	E	T	F	O	L	V	C
L	P	Q	P	I	Y	B	B	O	H	K	O
I	P	C	M	P	M	O	Y	T	N	R	U
D	B	A	K	E	R	Y	N	I	A	X	N
Q	P	W	W	G	L	F	H	G	E	W	T
E	H	H	O	S	P	I	T	A	L	G	R
X	P	Z	R	D	E	E	H	X	C	D	Y
A	I	C	R	M	M	X	W	Q	T	X	Z
M	X	G	Y	A	X	P	A	R	E	N	T
M	K	R	E	L	B	A	T	E	G	E	V
X	R	D	O	O	F	A	E	S	R	J	Z
N	O	F	F	L	O	R	N	J	O	D	C
B	C	A	Z	A	Q	B	W	Z	F	O	F

forget (잊다)   often (종종, 자주)   clean (깨끗한; 청소하다)

hobby (취미)   parent (부모)   bakery (빵집, 제과점)

exam (시험)   worry (걱정하다; 고민)   country (나라; 시골)

seafood (해산물)   hospital (병원)   vegetable (채소)

DAY 11

201

say
[sei]
said – said

통 말하다

Mom looks at me and **says**, "shh."
엄마는 나를 보고 '쉿'이라고 말씀하신다.

202

believe
[bilíːv]

통 믿다

I can't **believe** his words. 나는 그의 말을 믿을 수 없다.

203

all
[ɔːl]

형 모든 대 전부, 모두

All the people enjoyed the concert.
모든 사람들은 콘서트를 즐겼다.

204

care
[kɛər]

명 ¹돌봄, 보살핌 ²주의 통 관심을 가지다, 신경 쓰다

Babies need a lot of **care**.
아기들은 많은 보살핌을 필요로 한다.
She painted the wall with great **care**.
그녀는 매우 조심해서 벽을 칠했다.
Eric only **cares** about himself.
Eric은 자기 자신에게만 신경 쓴다.

205

careful
[kɛ́ərfəl]

형 주의 깊은, 신중한

Be **careful**! The soup is very hot.
조심해! 그 수프는 아주 뜨거워.

206

carefully
[kɛ́ərfəli]

부 주의 깊게, 신중하게

Listen **carefully** in class.
수업 중에 주의 깊게 들으세요.

207

child

[tʃaild]

복 **children**

명 ¹아이, 어린이 ²자식

When I was a **child**, I wanted to be a singer.
내가 아이였을 때, 나는 가수가 되고 싶었다.
The couple has two **children**. 그 부부는 두 명의 자녀가 있다.

208

adult

[ədʌ́lt]

명 어른, 성인 형 성인의, 다 자란

The boy grew up to be a great **adult**.
그 소년은 자라서 훌륭한 어른이 되었다.

209

afternoon

[æ̀ftərnúːn]

명 오후

It is 3 o'clock in the **afternoon**. 오후 3시이다.

210

arrive

[əráiv]

동 도착하다

We **arrived** at Namhae Bridge at noon.
우리는 정오에 남해대교에 도착했다.

211

forest

[fɔ́ːrist]

명 숲, 삼림

Two birds are singing in the **forest**.
두 마리의 새들이 숲에서 노래하고 있다.

212

mountain

[máuntən]

명 산

There is a famous **mountain**, *Seoraksan*, there.
그곳에는 유명한 산인 설악산이 있다.

213

climb

[klaim]

동 오르다, 올라가다

Cats can **climb** up a tree. 고양이는 나무에 오를 수 있다.
Did you **climb** Mt. Halla? 너는 한라산에 올라갔니?

214

beach
[biːtʃ]

명 해변, 바닷가

The **beach** was clean and beautiful.
그 해변은 깨끗하고 아름다웠다.

215

guide
[gaid]

명 (여행) 안내인, 안내서   동 안내하다

A tour **guide** travels to many places.
여행 가이드는 여러 장소들을 여행한다.
He **guided** us to the beach. 그는 우리를 해변으로 안내했다.

216

field
[fiːld]

명 ¹들판, 밭 ²~장, 경기장

There were many rice **fields** by the sea.
바닷가에는 많은 논이 있었다.
a soccer **field** 축구장

217

cloud
[klaud]

명 구름

We see the rainbow above the **clouds**.
우리는 구름 위로 무지개를 본다.

218

cloudy
[kláudi]

형 흐린, 구름이 잔뜩 낀

It's **cloudy** and cold. 날씨가 흐리고 춥다.

219

choose
[tʃuːz]
chose – chosen

동 선택하다, 고르다

We need to **choose** the meat and sauce.
우리는 고기와 소스를 선택해야 해.

220

choice
[tʃɔis]

명 선택(권)

It was a difficult **choice** for me. 그것은 내게 어려운 선택이었다.
You have a **choice** between two things.
너는 두 개 중에서 선택할 수 있다.

영어는 우리말로, 우리말은 영어로 쓰세요.

01	say	11	숲, 삼림
02	child	12	도착하다
03	care	13	오후
04	careful	14	오르다, 올라가다
05	mountain	15	들판, 밭; ~장, 경기장
06	all	16	어른, 성인; 다 자란
07	cloudy	17	선택하다, 고르다
08	believe	18	구름
09	guide	19	해변, 바닷가
10	choice	20	주의 깊게, 신중하게

함께 외우는 어휘 쌍

우리말을 보고 알맞은 단어를 쓰세요.

21		아이, 어린이	—		어른, 성인
22		주의 깊은, 신중한	—		주의 깊게, 신중하게
23		선택하다	—		선택(권)
24		구름	—		흐린, 구름이 잔뜩 낀

DAY 12

221

new
[nu:]

형 새, 새로운

How's your **new** school? 네 새 학교는 어때?

222

group
[gru:p]

명 무리, 집단

Some animals live in **groups**.
몇몇 동물들은 무리를 지어 산다.
a **group** of children 한 무리의 아이들

223

day
[dei]

명 ¹하루, 날 ²낮

Saturday is a happy **day** for many students.
토요일은 많은 학생들에게 행복한 날이다.
day and night 밤낮으로

224

night
[nait]

명 밤, 야간

Owls can see well at **night**.
부엉이는 밤에 잘 볼 수 있다.

225

bright
[brait]

형 ¹밝은, 빛나는 ²영리한, 재치 있는

The sun is **bright** in the sky.
태양이 하늘에서 밝게 빛난다.
a **bright** idea 기발한 생각

226

dark
[dɑːrk]

형 어두운

It's too **dark** here. Can you turn on the light?
여기는 너무 어두워. 불을 켜 주겠니?

227

morning

[mɔ́ːrniŋ]

뗭 아침, 오전

What did you have for breakfast this **morning**?
너는 오늘 아침에 아침 식사로 무엇을 먹었니?

228

evening

[íːvniŋ]

뗭 저녁

Let's eat out this **evening**. 오늘 저녁에 외식하자.

229

come

[kʌm]

came – come

뙭 (~쪽으로) 오다

Kids, **come** and sit down.
얘들아, 와서 앉으렴.

230

early

[ə́ːrli]

뛩 일찍, 빨리 톙 이른, 빠른

You should get up **early**. 너는 일찍 일어나야 한다.
in the **early** morning 이른 아침에

231

late

[leit]

톙 늦은, 지각한 뛩 늦게

Don't be **late** for school. 학교에 지각하지 마.
We came home **late**. 우리는 집에 늦게 왔다.

232

hurry

[hə́ːri]

뙭 서두르다, 급히 하다 뗭 서두름

Hurry up! We're late! 서둘러! 우린 늦었어!
Why are you in a **hurry**? 너 왜 그리 서두르니?

233

sorry

[sɑ́ːri]

톙 ¹미안한 ²유감스러운

I'm **sorry** that I forgot your birthday.
네 생일을 잊어서 미안해.
I'm **sorry** to hear that.
그 말을 들으니 유감이다.

234

window
[wíndou]

몡 ¹창문 ²(컴퓨터의) 창

I love to sit by the **window**. 나는 창가에 앉는 것을 좋아한다.

235

open
[óupən]

혱 열려 있는　동 ¹(문 등을) 열다 ²(가게 등이) 문을 열다

All the windows were **open**. 모든 창문들이 열려 있었다.
Open the door, please. 문을 열어주세요.
What time does the museum **open**?
박물관은 몇 시에 문을 여나요?

236

close
동 [klouz]
혱 [klous]

동 닫다　혱 ¹(거리가) 가까운 ²친한

Can you **close** the window? 창문을 닫아줄 수 있니?
Jimin's house is **close** to ours. 지민이의 집은 우리 집과 가깝다.
a **close** friend 친한 친구

237

break
[breik]
broke – broken

동 ¹깨뜨리다, 부서지다 ²(약속 등을) 어기다　몡 (짧은) 휴식

The ball **broke** Mr. Leigh's living room window.
그 공은 Leigh 씨의 거실 창문을 깨뜨렸다.
break one's word[promise] 약속을 어기다
take a **break** 잠시 휴식을 취하다

238

kick
[kik]

동 (발로) 차다

Kick the ball into the air. 공중에 공을 차라.

239

smart
[smɑːrt]

혱 똑똑한, 영리한

Lucy is a very **smart** student. Lucy는 매우 똑똑한 학생이다.

240

handsome
[hǽnsəm]

혱 잘생긴

The boy looks **handsome**.
그 소년은 잘생겨 보인다.

영어는 우리말로, 우리말은 영어로 쓰세요.

01 dark		**11** 저녁	
02 late		**12** (발로) 차다	
03 group		**13** 밤, 야간	
04 smart		**14** 서두르다; 서두름	
05 come		**15** 일찍, 빨리; 이른, 빠른	
06 close		**16** 새, 새로운	
07 window		**17** 깨뜨리다; 어기다; 휴식	
08 day		**18** 미안한; 유감스러운	
09 morning		**19** 열려 있는; 열다	
10 handsome		**20** 밝은, 빛나는; 영리한	

함께 외우는 어휘 쌍

우리말을 보고 알맞은 단어를 쓰세요.

21		열다	—		닫다
22		밝은	—		어두운
23		일찍; 이른, 빠른	—		늦게; 늦은, 지각한
24		낮	—		밤

DAY 13

241

have
[hæv]
had – had

동 ¹가지다, 있다 ² 먹다, 마시다

I **have** two dogs at home. 나는 집에 개 두 마리가 있다.
He's **having** lunch. 그는 점심을 먹고 있다.

242

laugh
[læf]

동 (소리 내어) 웃다 명 웃음(소리)

When we are happy, we **laugh**. 우리는 행복할 때, 소리 내어 웃는다.
with a **laugh** 웃으면서

243

cry
[krai]

동 ¹울다 ²외치다 명 고함, 외침

A baby is **crying**. 아기가 울고 있다.
He was **crying** for help. 그는 도와 달라고 외치고 있었다.
Then I heard a **cry**. 그때 나는 고함을 들었다.

244

movie
[múːvi]

명 영화

Do you want to see a **movie** with me? 너 나랑 영화 볼래?

245

birth
[bəːrθ]

명 ¹탄생, 출생 ²출산

The pig gave **birth** to 10 babies. 그 돼지는 10마리의 새끼를 낳았다.

246

birthday
[báːrθdèi]

명 생일

Koreans eat *miyeokguk* on their **birthdays**.
한국인들은 생일에 미역국을 먹는다.

247
gift
[gift]

명 ^{1}선물 ^{2}재능, 재주

I'm going to buy a birthday **gift** for Mom.
나는 엄마의 생신 선물을 살 것이다.
She has a **gift** for painting. 그녀는 그림에 재주가 있다.

248
celebrate
[séləbrèit]

동 기념하다, 축하하다

My family **celebrated** my grandma's birthday.
우리 가족은 할머니의 생신을 축하드렸다.

249
wish
[wiʃ]

동 바라다, 원하다 명 소원

I **wish** to travel around the world. 나는 세계 일주를 하고 싶다.
make a **wish** 소원을 빌다

250
friend
[frend]

명 친구, 벗

My best **friend** is Kim Jinsu.
내 가장 친한 친구는 김진수이다.

251
friendly
[fréndli]

형 친절한, 다정한

My classmates are nice and **friendly**.
우리 반 친구들은 착하고 다정하다.

252
culture
[kʌ́ltʃər]

명 문화

Each food **culture** is different from one another.
각각의 음식 문화는 서로 다르다.

253
understand
[ʌndərstǽnd]
understood – understood

동 이해하다, 알아듣다

We can **understand** other cultures better.
우리는 다른 문화를 더 잘 이해할 수 있다.

254

flour
[fláuər]

명 밀가루

Let's make some *kimchi* pancakes with **flour** and *kimchi*.
밀가루와 김치로 김치전을 만들자.

255

bowl
[boul]

명 ¹그릇, 사발 ²한 그릇(의 양)

Put the flour and sugar in a **bowl**.
그릇에 밀가루와 설탕을 넣으세요.
a **bowl** of rice 밥 한 그릇

256

flower
[fláuər]

명 꽃

Jake bought her some **flowers**.
Jake는 그녀에게 꽃을 사 주었다.

257

garden
[gáːrdn]

명 정원, 뜰

They planted flowers in the school **garden**.
그들은 학교 정원에 꽃을 심었다.

258

grass
[græs]

명 ¹풀, 잔디 ²(the ~) 잔디(밭)

Elephants eat **grass** and fruits. 코끼리는 풀과 과일을 먹는다.
Keep off the **grass**. 잔디밭에 들어가지 마시오.

259

map
[mæp]

명 지도

Jiho is drawing a **map** of Dokdo.
지호는 독도의 지도를 그리고 있는 중이다.

260

next
[nekst]

형 다음의 부 그 다음에

The **next** train comes in 10 minutes. 다음 기차는 10분 후에 온다.
What should I do **next**? 그 다음에 나는 무엇을 해야 하니?

영어는 우리말로, 우리말은 영어로 쓰세요.

01 wish

02 garden

03 movie

04 laugh

05 next

06 map

07 culture

08 friend

09 flower

10 birthday

11 그릇, 사발; 한 그릇(의 양)

12 풀, 잔디(밭)

13 이해하다, 알아듣다

14 밀가루

15 선물; 재능, 재주

16 기념하다, 축하하다

17 탄생, 출생; 출산

18 울다, 외치다; 고함, 외침

19 가지다, 있다; 먹다, 마시다

20 친절한, 다정한

▶ 함께 외우는 어휘 쌍

우리말을 보고 알맞은 단어를 쓰세요.

21 _____ (소리 내어) 웃다 — _____ 울다

22 _____ 친구, 벗 — _____ 친절한, 다정한

23 _____ 탄생, 출생 — _____ 생일

DAY 14

261

wash
[waʃ]

동 씻다, 세탁하다

Wash your hands before you eat. 먹기 전에 손을 씻어라.

262

wet
[wet]

형 젖은, 축축한

Water came in our boat and we all got **wet**.
우리 배에 물이 들어와서 우리는 모두 물에 젖었다.

263

hair
[hɛər]

명 털, 머리(털)

She has long brown **hair**. 그녀는 긴 갈색머리를 가지고 있다.

264

grow
[grou]

grew – grown

동 ¹자라다, 성장하다 ²기르다, 재배하다

Bob **grew** 15cm this year.
Bob은 올해 키가 15센티미터가 자랐다.
I **grow** vegetables in my garden.
나는 정원에서 채소를 기른다.

265

minute
[mínit]

명 ¹(시간 단위의) 분 ²잠깐

The show will start in 15 **minutes**.
그 공연은 15분 후에 시작할 것이다.
Wait a **minute**. 잠깐 기다려.

266

hour
[auər]

명 한 시간

After dinner, I watch TV for about an **hour**.
저녁 식사 후에, 나는 대략 한 시간 동안 TV를 본다.

267

name
[neim]

명 이름, 성명

Liam is my first **name** and Smith is my last **name**.
Liam은 나의 이름이고, Smith는 나의 성(姓)이야.

268

nickname
[níknèim]

명 별명

My **nickname** is Little Deer. 내 별명은 '어린 사슴'이다.

269

kind
[kaind]

형 친절한 명 종류, 유형

My English teacher is **kind**. 나의 영어 선생님은 친절하시다.
You will see many **kinds** of animals there.
당신은 그곳에서 많은 종류의 동물들을 볼 것이다.

270

contest
[kántest]

명 대회, 시합

Why don't you take part in a K-pop **contest**?
너 케이팝 대회에 참가하는 게 어때?

271

win
[win]

won – won

동 ^{1}이기다 ^{2}(상 등을) 타다, 따다

Did your team **win** the game? 너희 팀이 경기에서 이겼니?
She **won** the gold medal. 그녀는 금메달을 땄다.

272

lose
[luːz]

lost – lost

동 ^{1}잃어버리다 ^{2}(시합 등에서) 지다

I **lost** my cell phone. 나는 내 휴대 전화를 잃어버렸다.
My team is **losing**. 나의 팀이 지고 있다.

273

fight
[fait]

fought – fought

동 싸우다 명 싸움, (말)다툼

My brother and I often **fight**.
내 남동생과 나는 자주 싸운다.
We had a **fight** yesterday.
우리는 어제 다퉜다.

shy
[ʃai]

형 부끄러워하는, 수줍음이 많은

Don't be **shy**. 부끄러워하지 마.
He is always **shy** and quiet. 그는 항상 수줍음이 많고 조용하다.

quiet
[kwáiət]

형 조용한, 고요한

Please be **quiet** in the museum. 박물관에서는 조용히 하세요.

loud
[laud]

형 (소리가) 큰, 시끄러운

The music is too **loud**. 음악 소리가 너무 시끄럽다.

large
[lɑːrdʒ]

형 ¹(규모가) 큰 ²(양이) 많은

The house has many **large** windows.
그 집에는 큰 창문들이 많이 있다.
a **large** number of students 많은 수의 학생들

park
[pɑːrk]

명 공원 **동** 주차하다

There were not many trees in the **park** before.
전에는 공원에 나무들이 많이 없었다.
You should not **park** your car here.
이곳에 차를 주차해서는 안 됩니다.

amusement park
[əmjúːzmənt pɑːrk]

명 놀이공원

I am going to go to an **amusement park** with my friends.
나는 내 친구들과 놀이공원에 갈 것이다.

line
[lain]

명 ¹선 ²(차례를 기다리는) 줄

He drew a **line** on the ground. 그는 땅에 선을 하나 그었다.
People are standing in **line**. 사람들이 줄을 서 있다.

바로 테스트

< Way to go!

정답 192쪽

영어는 우리말로, 우리말은 영어로 쓰세요.

01	kind	11	자라다; 기르다
02	minute	12	젖은, 축축한
03	lose	13	한 시간
04	loud	14	선; (차례를 기다리는) 줄
05	park	15	조용한, 고요한
06	large	16	싸우다; 싸움, (말)다툼
07	name	17	별명
08	shy	18	놀이공원
09	hair	19	씻다, 세탁하다
10	contest	20	이기다; (상 등을) 타다, 따다

함께 외우는 어휘 쌍

우리말을 보고 알맞은 단어를 쓰세요.

21		(시간 단위의) 분	—	한 시간
22		이기다	—	지다
23		조용한, 고요한	—	(소리가) 큰, 시끄러운
24		이름	—	별명
25		공원	—	놀이공원

DAY 15

281

sing

[siŋ]

sang – sung

동 노래하다

I can **sing** many Korean songs.
나는 많은 한국 노래를 부를 수 있다.

282

dance

[dæns]

동 춤추다 명 춤

Wow, you can **dance** like Michael Jackson.
와, 너는 마이클 잭슨처럼 춤출 수 있구나.

283

music

[mjúːzik]

명 음악

Do you like hip-hop **music**? 너는 힙합 음악을 좋아하니?

284

listen

[lísn]

동 (귀 기울여) 듣다

He is **listening** to music. 그는 음악을 듣고 있다.

285

land

[lænd]

명 육지, 땅, 토지

Animals live in different places, from **land** to sea.
동물들은 육지부터 바다까지 다양한 장소에서 산다.

286

ocean

[óuʃən]

명 ¹바다 ²대양

There were a lot of fish in the **ocean**.
바닷속에는 물고기들이 많이 있었다.
the Pacific **Ocean** 태평양

287

swim

[swim]

swam – swum

동 수영하다

We're going to **swim** in the pool.
우리는 수영장에서 수영할 것이다.

288

river

[rívər]

명 강

Don't swim in the **river**. 강에서 수영하지 마.

289

deep

[diːp]

형 깊은   부 깊이, 깊게

The water was so **deep** and blue. 물이 아주 깊고 파랬다.

290

many

[méni]

형 (수가) 많은

There are **many** people on the subway.
지하철에 많은 사람들이 있다.

291

few

[fjuː]

형 [1](수가) 적은, 거의 없는   [2](a ~) (수가) 약간의

Few people are in the park. 공원에 사람이 거의 없다.
Jina has a **few** hobbies. 지나에게는 몇 가지 취미가 있다.

292

much

[mʌtʃ]

형 (양이) 많은   부 매우, 너무, 많이

Don't drink too **much** soda. 탄산음료를 너무 많이 마시지 마.
I liked the songs on this album very **much**.
나는 이 음반에 수록된 노래들을 매우 좋아했다.

293

little

[lítl]

형 [1]작은 [2]어린 [3](양이) 거의 없는 [4](a ~) (양·정도가) 약간의

A **little** bird is singing. 한 작은 새가 지저귀고 있다.
There's very **little** money left. 돈이 거의 남아 있지 않다.
I need a few eggs and a **little** milk.
나는 계란 몇 개와 약간의 우유가 필요하다.

294

take

[teik]

took – taken

동 ¹가지고 가다, 데리고 가다 ²(시간이) 걸리다

I'll **take** you by car. 내가 너를 차로 데려다 줄게.
It **takes** about 10 minutes to get there.
거기에 가는 데 10분 정도 걸린다.

295

weather

[wéðər]

명 날씨

How's the **weather** today? 오늘 날씨가 어떠니?

296

rain

[rein]

명 비, 빗물 동 비가 오다

We can't go out because of the heavy **rain**.
우리는 폭우 때문에 외출할 수 없다.
Is it **raining** now? 지금 비가 오고 있니?

297

rainy

[réini]

형 비가 오는

I wear a raincoat on a **rainy** day.
나는 비가 오는 날에 우비를 입는다.

298

umbrella

[ʌmbrélə]

명 우산

It's raining, but I didn't bring my **umbrella**.
비가 오고 있는데 난 우산을 가져오지 않았다.

299

snow

[snou]

명 눈 동 눈이 오다

My dog loves **snow** a lot. 내 개는 눈을 무척 좋아한다.
It does not **snow** very much in Busan.
부산에는 눈이 그다지 많이 오지 않는다.

300

clear

[kliər]

형 ¹분명한 ²(날씨가) 맑은, 투명한 동 (말끔히) 치우다

Her answer was **clear**. 그녀의 대답은 분명했다.
I like the **clear**, blue sky. 나는 맑고 푸른 하늘을 좋아한다.
Clear your desk. 네 책상을 말끔히 치워라.

영어는 우리말로, 우리말은 영어로 쓰세요.

01	ocean	11	춤추다; 춤
02	many	12	날씨
03	listen	13	(수가) 적은, 거의 없는
04	sing	14	수영하다
05	rain	15	육지, 땅, 토지
06	take	16	우산
07	clear	17	비가 오는
08	river	18	깊은; 깊이, 깊게
09	much	19	눈; 눈이 오다
10	music	20	작은; 어린; (양이) 거의 없는

함께 외우는 어휘 쌍

우리말을 보고 알맞은 단어를 쓰세요.

21		비, 빗물	—		비가 오는
22		육지, 땅, 토지	—		바다; 대양
23		(수가) 많은	—		(수가) 적은, 거의 없는
24		(양이) 많은	—		(양이) 거의 없는

Idioms in Use

5회독 체크

DAY 11 204

take care of

~을 돌보다

I **take care of** my cat after school.
나는 방과 후에 내 고양이를 돌본다.

DAY 12 229

come from

¹~ 출신이다 ²~에서 오다[생겨나다]

Where do you **come from**?
당신은 어디 출신입니까?
Many English words **come from** Latin.
많은 영어 단어들은 라틴어에서 생겨났다.

DAY 12 231

be late for

~에 늦다

Hurry up, or we will **be late for** the movie.
서둘러, 그렇지 않으면 우리는 영화 시간에 늦을 거야.

DAY 13 250

make a friend

친구를 사귀다

I **made** many good **friends** at school.
나는 학교에서 좋은 친구들을 많이 사귀었다.

DAY 14 264

grow up

자라다, 성장하다

What do you want to be when you **grow up**?
너는 자라서 무엇이 되고 싶니?

Spelling Puzzle

Unscramble the words.

1 MWIS (수영하다)

13 12

2 RERVIA (도착하다)

6　　　8　　　16

3 YLDENRFI (친절한, 다정한)

18　　　3

4 MUBLLRAE (우산)

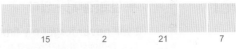

15　　2　　　21　　7

5 SETCTON (대회, 시합)

20　17　9　　　　1

6 OCOHES (선택하다)

11　14

7 TEELRCAEB (축하하다)

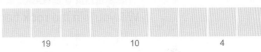

19　　　10　　　4

8 MEHODANS (잘생긴)

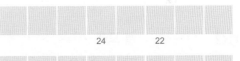

24　　22

9 IMUNNOTA (산)

5　　23

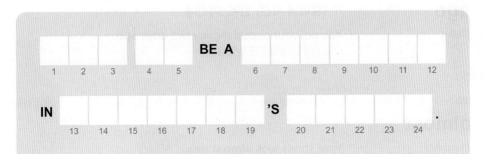

BE A

1　2　3　4　5　　6　7　8　9　10　11　12

IN　　　　　　　　　'S

13　14　15　16　17　18　19　20　21　22　23　24

DAY 16

301

always
[ɔ́:lweiz]

부 항상, 언제나

I'm **always** late for class.
나는 항상 수업에 늦는다.
She **always** helps her friends.
그녀는 언제나 친구들을 돕는다.

302

never
[névər]

부 결코[절대] ~ 않다

I will **never** forget my time in Thailand.
나는 태국에서의 시간을 결코 잊지 않을 것이다.

303

rock
[rɑk]

명 ¹바위, 암석 ²록 (음악)

The ship hit the **rock**. 그 배는 바위에 부딪혔다.
Will you join the **rock** band? 너는 록 밴드에 가입할 거니?

304

sand
[sænd]

명 모래

The **sand** feels very soft. 모래는 촉감이 매우 부드럽다.

305

ago
[əɡóu]

부 (얼마의 시간) 전에, 이전에

You got your pocket money two days **ago**.
너는 이틀 전에 용돈을 받았다.

306

almost
[ɔ́:lmoust]

부 거의

Your shoes look **almost** new.
네 신발은 거의 새 것처럼 보인다.

307

run

[rʌn]

ran – run

동 ¹달리다, 뛰다 ²운영하다

Don't **run** in the lunch room. 구내 식당에서 뛰지 마.
His parents **run** a small restaurant.
그의 부모님은 작은 식당을 운영하신다.

308

walk

[wɔːk]

동 ¹걷다 ²(동물을) 산책시키다 명 걷기, 산책

I **walk** to school. 나는 학교에 걸어서 간다.
Joe is **walking** his dog. Joe는 그의 개를 산책시키는 중이다.
Let's take a **walk** in the park. 공원에서 산책하자.

309

race

[reis]

명 경주, 달리기 동 경주하다

We ran a **race** of 100m yesterday.
우리는 어제 100m 경주를 했다.

310

fast

[fæst]

형 빠른 부 빨리

The soccer player is very **fast**. 그 축구 선수는 매우 빠르다.
I cannot run **fast**. 나는 빨리 달릴 수 없다.

311

slow

[slou]

형 느린, 더딘 부 느리게, 천천히

The bus was too **slow**. 버스가 너무 느렸다.

312

last

[læst]

형 ¹마지막의 ²지난

I felt sad on the **last** day of the trip. 나는 여행 마지막 날에 슬펐다.
My family went to Jeju-do **last** summer.
우리 가족은 지난여름에 제주도에 갔다.

313

add

[æd]

동 ¹첨가하다, 추가하다 ²더하다, 합하다

Add some vegetables to your pasta.
파스타에 채소를 좀 첨가하세요.
Add three and six and you get nine. 3 더하기 6은 9이다.

314

store

[stɔːr]

명 가게, 상점

There are many teddy bears in the **store**.
그 가게에는 많은 테디 베어가 있다.

a department **store** 백화점

315

bookstore

[búkstɔ̀ːr]

명 서점

Is there a **bookstore** near here?
이 근처에 서점이 있나요?

316

customer

[kʌ́stəmər]

명 손님, 고객

She was our store's first **customer**.
그녀는 우리 가게의 첫 손님이었다.

317

story

[stɔ́ːri]

명 이야기

You know the Cinderella **story**, right?
너는 신데렐라 이야기를 알고 있지, 그렇지?

318

talk

[tɔːk]

동 말하다, 이야기하다   명 이야기, 대화

You must not **talk** on the phone in the library.
너는 도서관에서 전화 통화를 해서는 안 된다.
Did you have a **talk** with him?   너는 그와 이야기를 나누었니?

319

tell

[tel]

told – told

동 말하다, 알리다

Can you **tell** me about yourself?
네 자신에 대해 내게 말해 주겠니?

320

also

[ɔ́ːlsou]

부 또한, 게다가, ~도

We washed the dogs. We **also** walked them.
우리는 그 개들을 씻겼다. 우리는 또한 그들을 산책시켰다.

영어는 우리말로, 우리말은 영어로 쓰세요.

01	slow	**11**	서점
02	ago	**12**	첨가하다; 더하다
03	race	**13**	모래
04	walk	**14**	마지막의; 지난
05	store	**15**	결코[절대] ~ 않다
06	always	**16**	거의
07	rock	**17**	달리다, 뛰다; 운영하다
08	also	**18**	손님, 고객
09	story	**19**	빠른; 빨리
10	tell	**20**	말[이야기]하다; 이야기, 대화

함께 외우는 어휘 쌍

우리말을 보고 알맞은 단어를 쓰세요.

21		달리다, 뛰다	—		걷다
22		빠른; 빨리	—		느린, 더딘; 느리게
23		가게, 상점	—		서점
24		항상, 언제나	—		결코[절대] ~ 않다

DAY 17

321

get
[get]
got – got[gotten]

동 ¹받다, 얻다 ²가져 오다 ³도착하다

I **got** this album on my birthday. 나는 내 생일에 이 앨범을 받았다.
I'll **get** you a drink. 내가 네게 마실 것을 가져 올게.
What time did he **get** there? 그는 몇 시에 거기 도착했니?

322

give
[giv]
gave – given

동 주다

Santa Claus **gives** a gift to a good child.
산타클로스는 착한 아이에게 선물을 준다.

323

enter
[éntər]

동 ¹들어가다[오다] ²(대회 등에) 참가하다

Mom **entered** my room. 엄마가 내 방에 들어오셨다.
I will **enter** the 800-meter race. 나는 800미터 경주에 참가할 것이다.

324

front
[frʌnt]

명 (the ~) 앞면, 앞쪽 형 앞쪽의

Janet is sitting at the **front** of the class.
Janet은 교실의 앞쪽에 앉아 있다.
a **front** door 현관, 정문

325

back
[bæk]

부 ¹뒤로 ²되돌아가서[와서] 명 ¹뒤쪽 ²등, 허리

Stand **back**, please. 뒤로 물러서세요.
I'll be **back** in an hour. 나는 한 시간 후에 돌아올 거야.
He went to the **back** of the line. 그는 줄의 뒤쪽으로 갔다.

326

side
[said]

명 ¹쪽, 편 ²측면

The finish line was on the other **side**.
결승선은 반대편에 있었다.

327

ride
[raid]
rode – ridden

图 (말·탈것 등을) 타다   명 (말·탈것 등을) 타기, 타고 가기

We're going to **ride** horses. 우리는 말을 탈 것이다.
Can you give me a **ride** to the hospital?
병원까지 저를 태워줄 수 있나요?

328

bicycle
[báisikl]

명 자전거

My brother is riding a **bicycle**. 내 남동생은 자전거를 타고 있다.

329

call
[kɔːl]

图 ¹(큰 소리로) 부르다 ²전화하다   명 전화 (통화)

Someone **called** my name. 누군가 내 이름을 불렀다.
Call me when you get there. 거기 도착하면 내게 전화해.
I got a **call** from Judy. 나는 Judy의 전화를 받았다.

330

speak
[spiːk]
spoke – spoken

图 ¹말하다, 이야기하다 ²(특정 언어를) 구사하다

Can I **speak** with you for a minute? 너와 잠깐 이야기할 수 있을까?
Mia can **speak** Chinese. Mia는 중국어로 말할 수 있다.

331

change
[tʃeindʒ]

图 변하다, 변화시키다   명 변화

The weather is **changing** these days. 요즘 날씨가 변하고 있다.

332

try
[trai]

图 ¹노력하다 ²시도하다

Try to be nice to your friends. 네 친구들에게 친절하도록 노력해라.
I'm going to **try** horse riding. 나는 승마를 해볼 것이다.

333

hang
[hæŋ]
hung – hung

图 걸(리)다, 매달(리)다

The picture is **hanging** on the wall. 그 그림은 벽에 걸려 있다.

334

long
[lɔːŋ]

형 [1](길이 · 거리가) 긴 [2](시간이) 오랜

The elephant picked up the fruit with its **long** nose.
코끼리는 긴 코로 과일을 들어 올렸다.
for a **long** time 오랫동안

335

short
[ʃɔːrt]

형 [1](길이 · 거리가) 짧은 [2]키가 작은 [3](시간이) 짧은

He has **short** black hair. 그는 짧고 검은 머리를 가지고 있다.
My little brother is **short**. 내 남동생은 키가 작다.

336

strong
[strɔːŋ]

형 강한, 힘이 센

The wind is too **strong** today. 오늘은 바람이 너무 세다.

337

weak
[wiːk]

형 약한, 힘이 없는

We should help **weak** people. 우리는 약한 사람들을 도와야 한다.

338

subway
[sʌ́bwèi]

명 지하철

Why don't you take the **subway**? 지하철을 타는 게 어때?

339

drive
[draiv]
drove – driven

동 운전하다

People should not **drive** fast near schools.
사람들은 학교 근처에서 빨리 운전해서는 안 된다.

340

stop
[stɑp]

동 멈추다, 중단하다 명 [1]멈춤 [2]정류장

The car **stopped** in front of my house.
그 차는 나의 집 앞에서 멈췄다.
at the bus **stop** 버스 정류장에서

영어는 우리말로, 우리말은 영어로 쓰세요.

01	stop	11	지하철
02	change	12	(말·탈것 등을) 타다; 타기
03	bicycle	13	짧은; 키가 작은
04	long	14	강한, 힘이 센
05	side	15	운전하다
06	get	16	주다
07	speak	17	걸(리)다, 매달(리)다
08	weak	18	부르다; 전화하다
09	try	19	뒤로; 되돌아가서; 뒤쪽
10	front	20	들어가다[오다]; 참가하다

▶ **함께 외우는 어휘 쌍**

우리말을 보고 알맞은 단어를 쓰세요.

21		앞쪽	—		뒤쪽
22		긴; 오랜	—		짧은
23		강한, 힘이 센	—		약한, 힘이 없는
24		받다, 얻다	—		주다

DAY 18

341

sun
[sʌn]

명 ¹해, 태양 ²햇볕, 햇빛

The earth goes around the **sun**. 지구는 태양 주위를 돈다.

342

sunny
[sʌ́ni]

형 화창한, 맑은

It's **sunny** and hot today. 오늘은 날씨가 화창하고 덥다.

343

skin
[skin]

명 피부

Too much sun isn't good for your **skin**.
너무 강한 햇볕은 피부에 좋지 않다.

344

fact
[fækt]

명 사실

We learned some important **facts** about our earth.
우리는 지구에 관한 몇몇 중요한 사실들을 배웠다.

345

habit
[hǽbit]

명 ¹습관 ²버릇

Exercising is a good **habit**. 운동하는 것은 좋은 습관이다.
break[kick] a **habit** 버릇을 고치다

346

just
[dʒʌst]

부 ¹딱[꼭] ²막, 방금 ³그저, 단지

The man looked **just** like Minji's father.
그 남자는 민지의 아빠를 꼭 닮았다.
The game **just** started. 경기가 막 시작되었다.
He's **just** a little kid. 그는 단지 어린아이일 뿐이다.

347

live
[liv]

동 살다, 거주하다

I **live** in Seoul, Korea. 나는 한국의 서울에 산다.

348

life
[laif]

복 lives

명 ¹인생, 삶, 생활 ²목숨, 생명

It was the best road trip of my **life**!
그것은 내 생애 최고의 자동차 여행이었다!
He gave his **life** to save his country.
그는 나라를 구하기 위해 목숨을 바쳤다.

349

thank
[θæŋk]

동 감사하다, 감사함을 전하다

I **thanked** my parents for the gift.
나는 그 선물에 대해 부모님께 감사함을 전했다.

350

home
[houm]

명 ¹집, 가정 ²고향 부 집에, 집으로

She's not at **home** now. 그녀는 지금 집에 없다.
Now, it's time to go **home**. 이제 집으로 갈 시간이다.

351

homeroom
[hóumrù:m]

명 홈룸, 학급 전원이 모이는 생활 지도 교실

I like my **homeroom** teacher and my classmates.
나는 우리 담임 선생님과 반 친구들이 좋다.

352

house
[haus]

명 집, 주택

Will you come to our **house** for dinner tomorrow?
내일 저녁 식사를 하러 우리 집에 오겠니?

353

table
[téibl]

명 탁자, 식탁

There are some dishes on the **table**.
식탁 위에 접시들이 약간 있다.
set the **table** 밥상을 차리다

354

read

[ri:d]
read[red] **– read**[red]

图 읽다

I'm going to **read** some books in the library.
나는 도서관에서 책을 좀 읽을 것이다.

355

write

[rait]
wrote – written

图 ¹(글자를) 쓰다 ²(책을) 집필하다, (곡을) 작곡하다

Can you **write** your name in Chinese?
너는 중국어로 네 이름을 쓸 수 있니?
She **wrote** many children's books.
그녀는 많은 아동용 도서를 집필했다.

356

letter

[létər]

图 ¹편지 ²글자, 문자

Are you writing a **letter** to your parents?
너는 부모님께 편지를 쓰고 있니?

357

send

[send]
sent – sent

图 보내다, 발송하다

She **sent** me a birthday card.
그녀는 내게 생일 카드를 보냈다.

358

fly

[flai]
flew – flown

图 ¹(새·곤충이) 날다 ²비행[운항]하다   图 파리

An eagle is **flying** in the sky. 독수리 한 마리가 하늘을 날고 있다.
The plane is **flying** to London. 비행기가 런던으로 비행 중이다.
A **fly** sits on my leg. 파리 한 마리가 내 다리 위에 앉는다.

359

high

[hai]

图 ¹(높이가) 높은 ²(양·정도가) 많은, 높은   图 높이

Mt. Halla is very **high**. 한라산은 매우 높다.
at **high** speed   고속으로

360

low

[lou]

图 ¹(높이가) 낮은 ²(양·정도가) 적은, 낮은   图 낮게

A cat is sitting on the **low** wall.
고양이 한 마리가 낮은 담 위에 앉아 있다.
at a **low** price   싼 가격에

영어는 우리말로, 우리말은 영어로 쓰세요.

01	sun	**11**	습관; 버릇
02	live	**12**	집, 가정; 고향; 집에, 집으로
03	read	**13**	인생, 삶; 목숨, 생명
04	skin	**14**	감사하다
05	homeroom	**15**	날다; 비행하다; 파리
06	just	**16**	낮은; 낮게
07	fact	**17**	쓰다; 집필하다
08	house	**18**	탁자, 식탁
09	high	**19**	화창한, 맑은
10	send	**20**	편지; 글자, 문자

함께 외우는 어휘 쌍

우리말을 보고 알맞은 단어를 쓰세요.

21		살다	—	삶
22		높은; 높이	—	낮은; 낮게
23		읽다	—	쓰다
24		해, 태양	—	화창한, 맑은

DAY 19

361

meet

[miːt]

met – met

동 만나다

What time should we **meet**? 우리 몇 시에 만날까?
Let's **meet** at 5 o'clock. 5시에 만나자.

362

meeting

[míːtiŋ]

명 회의, 만남

She has a business **meeting**.
그녀는 사업상 회의가 있다.

363

sleep

[sliːp]

slept – slept

동 (잠을) 자다 명 잠, 수면

My cat is **sleeping** under the bed.
내 고양이는 침대 아래에서 자고 있다.
I didn't get enough **sleep** last night.
나는 어젯밤에 잠을 충분히 못 잤다.

364

sleepy

[slíːpi]

형 졸리는

I often feel **sleepy** in class.
나는 종종 수업 중에 졸리다.

365

paint

[peint]

명 ¹페인트 ²물감 동 ¹페인트를 칠하다 ²(물감으로) 그리다

Be careful of the wet **paint**. 마르지 않은 페인트를 주의하세요.
Who **painted** the picture? 누가 그 그림을 그렸니?

366

paper

[péipər]

명 종이

Draw a line on the **paper**.
종이 위에 선을 그어라.

367

block
[blɑk]

명 구역, 블록 동 막다, 차단하다

Go straight two **blocks** and turn left.
두 블록을 직진한 다음 왼쪽으로 도세요.
Baseball caps can **block** the sun.
야구 모자는 햇빛을 차단할 수 있다.

368

tall
[tɔːl]

형 ¹키가 큰, 높은 ²키가 ~인

The basketball player is **tall**. 그 농구선수는 키가 크다.
How **tall** is she? 그녀는 키가 얼마나 크니?

369

borrow
[bárou]

동 빌리다

I'd like to **borrow** a book. 저는 책을 한 권 빌리고 싶습니다.

370

return
[ritə́ːrn]

동 ¹돌아가다[오다] ²돌려주다, 반납하다 명 돌아감[옴]

My brother **returned** from a trip yesterday.
내 남동생은 어제 여행에서 돌아왔다.
A good student **returns** books on time.
착한 학생은 책을 제때 반납한다.

371

think
[θiŋk]
thought – thought

동 (~라고) 생각하다

What do you **think** of this painting?
너는 이 그림에 대해 어떻게 생각하니?
I **think** that you should save money.
난 네가 돈을 절약해야 한다고 생각한다.

372

today
[tədéi]

부 명 오늘

I'm busy **today**. 나는 오늘 바쁘다.
Today is the first day of middle school. 오늘은 중학교 첫날이다.

373

history
[hístəri]

명 역사

I'm worried about the **history** homework.
나는 역사 숙제가 걱정된다.

374

stay

[stei]

동 머무르다 명 머무름, 방문

How long did you **stay** in France?
너는 프랑스에서 얼마나 오래 머물렀니?

375

leave

[liːv]
left – left

동 ¹떠나다, 출발하다 ²~을 두고 오다[가다]

Kevin wanted to **leave** early. Kevin은 일찍 떠나고 싶었다.
I **left** my bag on the subway. 나는 지하철에 가방을 두고 내렸다.

376

hope

[houp]

동 바라다, 희망하다 명 바람, 희망

I **hope** to meet a K-pop star in person.
나는 케이팝 스타를 직접 만나기를 바란다.
lose **hope** 희망을 잃다

377

smile

[smail]

동 미소 짓다 명 미소

Mom **smiles** and says, "Good job."
엄마는 미소를 지으며 "잘했어."라고 말씀하신다.
She has a nice **smile**. 그녀는 멋진 미소를 가졌다.

378

between

[bitwíːn]

전 ¹(위치) 사이에 ²(시간) 사이에

I sat down **between** two men. 나는 두 남자 사이에 앉았다.
between five and six o'clock 5시와 6시 사이에

379

corner

[kɔ́ːrnər]

명 ¹(길)모퉁이 ²구석, 모서리

Turn left at the second **corner**.
두 번째 모퉁이에서 왼쪽으로 도세요.
in the **corner** of the room 방의 한 구석에

380

wait

[weit]

동 기다리다

The students are **waiting** for the school bus.
학생들은 스쿨버스를 기다리고 있다.

영어는 우리말로, 우리말은 영어로 쓰세요.

01 block

02 sleep

03 meeting

04 think

05 history

06 paint

07 leave

08 hope

09 return

10 wait

11 졸리는

12 만나다

13 종이

14 키가 큰, 높은; 키가 ~인

15 빌리다

16 미소 짓다; 미소

17 오늘

18 머무르다; 머무름

19 (길)모퉁이; 구석, 모서리

20 (위치·시간) 사이에

▶ 함께 외우는 어휘 쌍

우리말을 보고 알맞은 단어를 쓰세요.

21 ☐ 빌리다 — ☐ 돌려주다, 반납하다

22 ☐ (잠을) 자다; 잠 — ☐ 졸리는

23 ☐ 만나다 — ☐ 회의, 만남

24 ☐ 머무르다 — ☐ 떠나다, 출발하다

DAY 20

381

use
동 [juːz]
명 [juːs]

동 쓰다, 사용하다 명 사용, 이용

Don't **use** your cell phone when you walk.
걸을 때는 휴대 전화를 사용하지 마시오.

382

useful
[júːsfəl]

형 쓸모 있는, 유용한

This guide book will be **useful** for your trip.
이 여행 안내서는 네 여행에 유용할 것이다.

383

human
[hjúːmən]

명 인간, 사람 형 인간[사람]의

Robots can help **humans** in many ways.
로봇은 여러모로 인간을 도울 수 있다.
the **human** body 인체

384

world
[wəːrld]

명 세계, 세상

I have friends from all around the **world**.
나는 전 세계에 친구들이 있다.

385

holiday
[hálədèi]

명 휴일, 공휴일

Chuseok is a big **holiday** in Korea.
추석은 한국에서 큰 명절이다.

386

fantastic
[fæntǽstik]

형 환상적인, 멋진

The ice show was **fantastic**.
그 아이스 쇼는 환상적이었다.

387

old

[ould]

형 ¹나이 든, 늙은 ²나이가 ~인 ³오래된, 낡은

An **old** lady got on the bus. 한 노부인이 버스에 올라탔다.
I am 14 years **old**. 나는 14살이다.
Her car is very **old**. 그녀의 차는 매우 오래되었다.

388

young

[jʌŋ]

형 어린, 젊은

He wanted to be a baker when he was **young**.
그는 어렸을 때 제빵사가 되고 싶었다.

389

pay

[pei]

paid – paid

동 (돈을) 지불하다, 내다 명 지불, 급여

The girl will **pay** 17 dollars for the cap.
소녀는 그 모자를 사는 데 17달러를 낼 것이다.

390

sale

[seil]

명 ¹판매 ²할인 판매, 세일

Is this painting for **sale**? 이 그림은 판매용인가요?
All the shops have a Christmas **sale**.
모든 상점들은 크리스마스 할인 판매를 한다.

391

invite

[inváit]

동 초대하다

Let's **invite** our parents to the party.
그 파티에 우리 부모님들을 초대하자.

392

present

[préznt]

형 ¹참석[출석]한 ²현재의 명 ¹선물 ²(the ~) 현재

He was **present** at the meeting. 그는 회의에 참석했다.
at the **present** time 현재로서는
a birthday **present** 생일 선물

393

absent

[æbsənt]

형 결석[결근]한

Why were you **absent** from school yesterday?
너는 어제 왜 학교에 결석했니?

394

calm

[kɑ:m]

형 침착한, 차분한 동 진정시키다

Stay **calm** during an exam.
시험 보는 동안 침착함을 유지하세요.
The woman tried to **calm** her children.
그 여자는 자신의 아이들을 진정시키려고 애썼다.

395

nervous

[nə́:rvəs]

형 긴장되는, 초조한

Do you feel **nervous** about your test?
너는 시험 때문에 긴장되니?

396

kitchen

[kítʃən]

명 부엌, 주방

Dad was making sandwiches in the **kitchen**.
아빠는 부엌에서 샌드위치를 만들고 계셨다.

397

bathroom

[bǽθrù:m]

명 욕실, 화장실

Can I use your **bathroom**?
화장실 좀 써도 될까요?

398

gate

[geit]

명 ¹문, 출입문 ²(공항의) 탑승구

Can you please open the **gate** for me?
저를 위해 문을 열어주실 수 있나요?

399

prize

[praiz]

명 상, 상품

She won first **prize** in the piano contest.
그녀는 피아노 경연대회에서 1등 상을 받았다.

400

ground

[graund]

명 땅, 지면

One of the eggs fell to the **ground**.
그 알들 중 하나가 땅에 떨어졌다.

영어는 우리말로, 우리말은 영어로 쓰세요.

01	old	11	환상적인, 멋진
02	use	12	세계, 세상
03	human	13	쓸모 있는, 유용한
04	pay	14	휴일, 공휴일
05	present	15	초대하다
06	nervous	16	결석[결근]한
07	ground	17	어린, 젊은
08	gate	18	판매; 할인 판매
09	calm	19	부엌, 주방
10	bathroom	20	상, 상품

▲ 함께 외우는 어휘 쌍

우리말을 보고 알맞은 단어를 쓰세요.

21		사용하다; 사용	—		쓸모 있는, 유용한
22		나이 든, 늙은	—		어린, 젊은
23		침착한, 차분한	—		긴장되는, 초조한
24		참석[출석]한	—		결석[결근]한

Idioms in Use DAY 16-20

DAY 16 305

a long time ago

아주 오래 전에

A long time ago, the king of India had a dream.
아주 오래 전에, 인도의 왕이 꿈을 꾸었다.

DAY 16 307

run away from

~로부터 달아나다

The man **ran away from** the police.
그 남자는 경찰로부터 달아났다.

DAY 17 324

in front of

~의 앞에

We took pictures **in front of** the bridge.
우리는 다리 앞에서 사진을 찍었다.

DAY 19 380

wait for

~을 기다리다

Are the children **waiting for** Santa Claus?
아이들은 산타클로스를 기다리고 있니?

DAY 20 394

calm down

진정하다, ~을 진정시키다

Calm down and drink a cup of hot tea.
진정하고 따뜻한 차를 한 잔 마셔 봐.

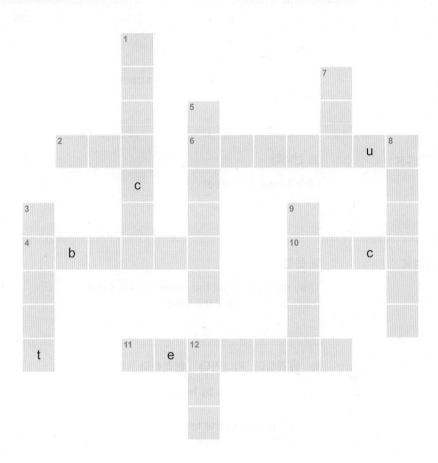

○ ACROSS

2   날다; 비행[운항]하다; 파리
4   결석[결근]한
6   긴장되는, 초조한
10 경주, 달리기; 경주하다
11 (위치·시간) 사이에

○ DOWN

1   자전거
3   습관; 버릇
5   초대하다
7   (얼마의 시간) 전에, 이전에
8   졸리는
9   운전하다
12 노력하다; 시도하다

DAY 21

401

street
[striːt]

명 거리, 길

There are many people on the **street**.
거리에 많은 사람들이 있다.

402

cross
[krɔːs]

동 건너다

Let's **cross** the street.
길을 건너자.

403

bank
[bæŋk]

명 은행

They decided to put the money in the **bank**.
그들은 그 돈을 은행에 넣기로 결정했다.

404

pass
[pæs]

동 ¹통과하다, 지나가다 ²합격하다

Did someone **pass** by here?
누가 여길 지나갔니?

I hope I can **pass** the test.
나는 시험에 합격하기를 바란다.

405

year
[jiər]

명 ¹해, 연(年), 연도 ²나이

I moved here from Ulsan last **year**.
나는 작년에 울산에서 여기로 이사 왔다.

My sister is eight **years** old.
내 여동생은 8살이다.

406

month
[mʌnθ]

명 달, 월, 개월

December is the last **month** of the year.
12월은 한 해의 마지막 달이다.

407

spend

[spend]

spent – spent

통 ¹(돈을) 쓰다 ²(시간을) 보내다

You can't **spend** your money like that.
너는 그런 식으로 돈을 써서는 안 된다.

He **spends** a lot of time with his family.
그는 많은 시간을 그의 가족과 함께 보낸다.

408

pocket

[pάkit]

명 주머니

He put the note in his **pocket**.
그는 그 메모를 주머니에 넣었다.

409

hat

[hæt]

명 (테가 있는) 모자

I always wear a **hat** in the sun.
나는 햇볕 아래에서 항상 모자를 쓴다.

410

brush

[brʌʃ]

명 붓, 솔, 비   통 솔질[빗질]하다

She is painting a picture with a **brush**.
그녀는 붓으로 그림을 칠하고 있다.

I often **brush** my hair.
나는 종종 머리를 빗는다.

411

address

[ədrés]

명 주소

Could you tell me your email **address**?
당신의 이메일 주소를 알려주시겠어요?

412

push

[puʃ]

통 밀다

We **pushed** the table, but it didn't move.
우리는 탁자를 밀었지만, 그것은 움직이지 않았다.

413

pull

[pul]

통 끌다, (잡아)당기다

Stop **pulling** my hair!
내 머리카락을 잡아당기는 것을 그만둬!

414

touch
[tʌtʃ]

동 ¹만지다 ²감동시키다

You must not **touch** the paintings.
여러분은 그 그림들을 만져서는 안 됩니다.

The story **touched** us all. 그 이야기는 우리 모두를 감동시켰다.

415

goal
[goul]

명 ¹골, 득점 ²목표

I made the first **goal**. 나는 첫 골을 넣었다.

My **goal** is to be the world champion.
나의 목표는 세계 챔피언이 되는 것이다.

416

score
[skɔːr]

명 득점, 점수　동 ¹득점하다 ²(시험 등에서) 점수를 받다

The **score** was four to three. 점수는 4대 3이었다.

I **scored** two goals, and my team won.
내가 두 골을 넣어서 우리 팀이 이겼다.

417

airport
[ɛ́ərpɔ̀ːrt]

명 공항

Can you pick me up at the **airport**?
공항에 나를 데리러 나올 수 있니?

418

airplane
[ɛ́ərplèin]

명 비행기

The Wright brothers made an **airplane** to fly into the sky.
라이트 형제는 하늘을 날기 위해 비행기를 만들었다.

419

curious
[kjúəriəs]

형 궁금한, 호기심이 많은

I'm **curious** about sea animals.
나는 해양 동물들에 대해 궁금하다.

420

form
[fɔːrm]

명 ¹종류, 유형 ²(문서의) 서식　동 형성하다, 이루다

Dancing is a **form** of art. 춤은 예술의 한 종류이다.

Fill out the **form**. 서식을 작성하시오.

How did a lake **form** on top of the mountain?
산 정상에 호수가 어떻게 생겼을까?

영어는 우리말로, 우리말은 영어로 쓰세요.

01	goal	11	건너다
02	airplane	12	은행
03	form	13	해, 연(年), 연도; 나이
04	street	14	주소
05	pass	15	주머니
06	month	16	궁금한, 호기심이 많은
07	hat	17	공항
08	pull	18	밀다
09	touch	19	득점, 점수; 득점하다
10	spend	20	붓, 솔, 비; 솔질[빗질]하다

함께 외우는 어휘 쌍

우리말을 보고 알맞은 단어를 쓰세요.

21		연(年), 연도	—		달, 월, 개월
22		공항	—		비행기
23		밀다	—		끌다, (잡아)당기다
24		골	—		득점하다

DAY 22

421

luck
[lʌk]

몡 ¹행운 ²운(수)

Wish me **luck**! 내게 행운을 빌어줘!
good[bad] **luck** 행운[불운]

422

lucky
[lʌ́ki]

혱 행운의, 운이 좋은

Today was a **lucky** day.
오늘은 운이 좋은 날이었다.

423

cut
[kʌt]
cut – cut

됭 ¹베다 ²자르다

I **cut** my finger. 나는 손가락을 베었다.
Can you **cut** the apple into pieces?
그 사과를 조각으로 잘라줄래?

424

knife
[naif]
뫀 **knives**

몡 칼

Cut the bread with a **knife**.
칼로 빵을 잘라라.

425

ache
[eik]

됭 (계속) 아프다 몡 (계속적인) 아픔

My feet are **aching**.
나는 발이 아프다.

426

headache
[hédèik]

몡 두통

I have a bad **headache**.
나는 머리가 심하게 아프다.

427

fever

[fíːvər]

명 열

The child has a high **fever**.
그 아이는 열이 높다.

428

both

[bouθ]

형 둘 다의, 양쪽의　대 둘 다, 양쪽

You should look **both** ways before crossing the street.
너는 길을 건너기 전에 양쪽을 살펴야 한다.
Both of us love animals.
우리 둘 다 동물을 아주 좋아한다.

429

focus

[fóukəs]

동 ¹(관심 등을) 집중하다 ²초점을 맞추다　명 초점

You need to **focus** more on your studies.
너는 공부에 더 집중해야 한다.
the main **focus**　주요 초점

430

north

[nɔːrθ]

명 북쪽　형 북쪽의

Polar bears live in the **North** Pole.
북극곰은 북극에 산다.

431

south

[sauθ]

명 남쪽　형 남쪽의

Brazil is a country in **South** America.
브라질은 남미에 있는 국가이다.

432

east

[iːst]

명 동쪽　형 동쪽의

I went to the **east** and found more fish.
나는 동쪽으로 가서 더 많은 물고기를 찾았다.

433

west

[west]

명 서쪽　형 서쪽의

The sun sets in the **west**.
태양은 서쪽으로 진다.

434

area
[ɛ́əriə]

명 ¹지역 ²(특정 용도를 위한) 구역

There are many mountains in this **area**.
이 지역에는 산이 많다.

a parking **area** 주차 구역

435

example
[igzǽmpl]

명 예, 사례, 보기

Hamburgers and French fries are **examples** of fast food.
햄버거와 프랑스식 감자 튀김은 패스트 푸드의 예이다.

436

date
[deit]

명 ¹날짜 ²데이트

What's the **date** today? 오늘이 며칠이니?

go on a **date** 데이트하러 가다

437

brave
[breiv]

형 용감한

I want to be a **brave** person.
나는 용감한 사람이 되고 싶다.

438

honest
[ánist]

형 ¹(성품이) 정직한 ²(어떤 사실에 대해) 솔직한

I think that Steve is **honest**.
나는 Steve가 정직하다고 생각한다.

an **honest** answer 솔직한 대답

439

lie
[lai]

lay – lain¹,²
lied – lied³

통 ¹눕다 ²놓여 있다 ³거짓말하다 명 거짓말

He was **lying** on the sofa. 그는 소파에 누워 있었다.
Dirty towels **lay** on the floor. 바닥에 지저분한 수건들이 놓여 있었다.
Stop telling **lies**. 거짓말하는 것을 그만해.

440

lazy
[léizi]

형 게으른

My brother is **lazy** and never cleans his room.
내 남동생은 게을러서 절대 자기 방 청소를 하지 않는다.

영어는 우리말로, 우리말은 영어로 쓰세요.

01 cut

02 ache

03 west

04 north

05 fever

06 brave

07 knife

08 example

09 luck

10 date

11 행운의, 운이 좋은

12 (관심 등을) 집중하다; 초점

13 두통

14 동쪽(의)

15 남쪽(의)

16 지역; 구역

17 정직한; 솔직한

18 게으른

19 눕다; 놓여 있다; 거짓말(하다)

20 둘 다(의), 양쪽(의)

함께 외우는 어휘 쌍

우리말을 보고 알맞은 단어를 쓰세요.

21 [_____] 동쪽(의) — [_____] 서쪽(의)

22 [_____] 남쪽(의) — [_____] 북쪽(의)

23 [_____] 행운; 운(수) — [_____] 행운의, 운이 좋은

24 [_____] 아프다; 아픔 — [_____] 두통

DAY 23

441

marry
[mǽri]

동 결혼하다

Will you **marry** me?
나와 결혼해 주겠니?

442

husband
[hʌ́zbənd]

명 남편

Bill is a great **husband**.
Bill은 훌륭한 남편이다.

443

wife
[waif]
복 **wives**

명 아내

That woman is Mr. Smith's **wife**.
저 여자는 Smith 씨의 아내이다.

444

daughter
[dɔ́ːtər]

명 딸

Susan's **daughter** looks just like her.
Susan의 딸은 그녀와 꼭 닮았다.

445

son
[sʌn]

명 아들

They have two **sons** and a daughter.
그들은 아들 두 명과 딸 한 명이 있다.

446

only
[óunli]

부 단지, 오직, 겨우 (~밖에) 형 유일한

The shirt was **only** seven dollars.
그 셔츠는 겨우 7달러였다.
an **only** child 외동(딸·아들)

447

type
[taip]

명 유형, 종류

What **type** of traveler are you?
당신은 어떤 종류의 여행가입니까?

448

size
[saiz]

명 ^{1}크기, 규모 ^{2}(옷·신발 등의) 치수, 사이즈

Her room is almost the same **size** as mine.
그녀의 방은 내 방과 거의 같은 크기이다.

Do you have a bigger **size**?
더 큰 사이즈가 있나요?

449

cloth
[klɔːθ]

명 옷감, 직물, 천

I made this **cloth** bag from an old T-shirt.
나는 낡은 티셔츠로 이 천가방을 만들었다.

450

clothes
[klouz]

명 옷, 의복

My sister always wears my **clothes**.
내 여동생은 항상 내 옷을 입는다.

451

body
[bάdi]

명 몸, 신체

About 70 percent of our **body** is water.
우리 몸의 약 70퍼센트는 물로 되어 있다.

452

mind
[maind]

명 마음, 정신 동 꺼리다, 신경 쓰다

Yoga is good for the body and **mind**.
요가는 몸과 정신에 좋다.

Do you **mind** closing the window? 창문을 닫아도 될까요?
Never **mind**. 신경 쓰지 마.

453

mouth
[mauθ]

명 입

Don't talk with your **mouth** full.
네 입에 음식을 가득 넣은 채 말하지 마.

454

voice

[vɔis]

명 목소리, 음성

I like his songs and his soft **voice**.
난 그의 노래들과 부드러운 목소리를 좋아한다.

455

wake

[weik]

woke – woken

동 (잠에서) 깨다, 깨우다

I **woke** up at 7 this morning.
나는 오늘 아침 7시에 일어났다.

456

leaf

[liːf]

복 **leaves**

명 잎, 나뭇잎

Why do **leaves** fall in autumn?
가을에는 왜 나뭇잎이 떨어질까?

457

lake

[leik]

명 호수

Eric swam in the **lake**.
Eric은 호수에서 수영했다.

458

nature

[néitʃər]

명 [1]자연 [2]천성, 본성

I enjoy taking pictures of **nature**.
나는 자연의 사진을 찍기를 좋아한다.

Jim is very kind by **nature**. Jim은 천성이 매우 친절하다.

459

moon

[muːn]

명 달

The **moon** is always in the night sky.
달은 항상 밤하늘에 떠 있다.

a full **moon** 보름달

460

space

[speis]

명 [1](비어 있는) 공간, 장소 [2]우주

There is not much **space** in this room.
이 방에는 공간이 많지 않다.

I hope to travel to **space** someday.
나는 언젠가 우주여행을 하고 싶다.

영어는 우리말로, 우리말은 영어로 쓰세요.

01 son

02 mouth

03 voice

04 cloth

05 type

06 wake

07 space

08 body

09 moon

10 wife

11 자연; 천성, 본성

12 (나뭇)잎

13 호수

14 남편

15 결혼하다

16 단지, 오직; 유일한

17 딸

18 마음, 정신; 꺼리다

19 옷, 의복

20 크기, 규모; 치수

우리말을 보고 알맞은 단어를 쓰세요.

21 _____ 남편 — _____ 아내

22 _____ 딸 — _____ 아들

23 _____ 옷감, 직물, 천 — _____ 옷, 의복

24 _____ 몸, 신체 — _____ 마음, 정신

DAY 24

461

tour

[tuər]

명 여행, 관광　동 여행[관광]하다

Our class had a three-day **tour** of Gyeongju.
우리 반은 경주로 3일간의 여행을 했다.

462

tourist

[túərist]

명 관광객

Are there any good places for **tourists** in London?
런던에 관광객들을 위한 좋은 장소가 있나요?

463

queen

[kwiːn]

명 여왕

The **queen** gave Snow White an apple.
여왕은 백설공주에게 사과 한 개를 주었다.

464

palace

[pǽlis]

명 궁전, 궁궐

Many kings loved to stay in this **palace**.
많은 왕들이 이 궁전에서 머무르기를 아주 좋아했다.

465

build

[bild]

built – built

동 (건물을) 짓다, 건축하다

He **built** a school for children in Africa.
그는 아프리카의 아이들을 위해 학교를 지었다.

466

building

[bíldiŋ]

명 건물

There are many tall **buildings** in Seoul.
서울에는 높은 건물들이 많이 있다.

467

wood
[wud]

명 ¹나무, 목재 ²(-s) 숲

The little pig built his house with **wood**.
아기 돼지는 나무로 자신의 집을 지었다.
Let's take a walk in the **woods**. 숲속을 산책하자.

468

restroom
[réstrùm]

명 화장실

Where is the **restroom**?
화장실이 어디인가요?

469

fun
[fʌn]

명 재미, 즐거움 형 재미있는

The party was a lot of **fun**.
그 파티는 정말 재미있었다.
His class is **fun**. 그의 수업은 재미있다.

470

funny
[fʌ́ni]

형 우스운, 재미있는

We make **funny** faces in our selfies.
우리는 셀피에서 우스운 표정을 짓는다.

471

picnic
[píknik]

명 소풍

My family went on a **picnic** last Sunday.
우리 가족은 지난 일요일에 소풍을 갔다.

472

wall
[wɔːl]

명 ¹벽 ²담

There is a clock on the **wall**. 벽에 시계가 하나 있다.

473

stone
[stoun]

명 돌

A boy threw a **stone** into the lake.
한 소년이 호수에 돌을 던졌다.

474

mad

[mæd]

형 ¹정신 나간 ²화가 난

I'm **mad** at my sister because she lost my camera.
여동생이 내 카메라를 잃어버렸기 때문에 나는 그녀에게 화가 나 있다.

475

hunt

[hʌnt]

동 사냥하다   명 사냥

Wolves **hunt** in groups. 늑대는 무리를 지어 사냥한다.
It was my first **hunt** today. 오늘은 내 첫 번째 사냥 날이었다.

476

hunter

[hʌ́ntər]

명 사냥꾼

Eagles are great **hunters** because of their great eyes.
독수리는 훌륭한 시력 덕분에 위대한 사냥꾼들이다.

477

bone

[boun]

명 뼈

Green vegetables are good for **bones**.
녹색 채소는 뼈에 좋다.

478

tail

[teil]

명 꼬리

My dog has a long **tail**.
내 개는 긴 꼬리를 가지고 있다.

479

dolphin

[dálfin]

명 돌고래

Dolphins are friendly to humans.
돌고래는 인간에게 우호적이다.

480

wild

[waild]

형 야생의   명 (the ~) (야생 상태의) 자연

There are many **wild** animals in the jungle.
정글에는 많은 야생 동물들이 있다.

To live in the **wild**, some animals help each other.
야생에서 살기 위해 몇몇 동물들은 서로 돕는다.

영어는 우리말로, 우리말은 영어로 쓰세요.

01	hunt	11	관광객
02	tail	12	돌고래
03	wild	13	나무, 목재; 숲
04	tour	14	돌
05	fun	15	사냥꾼
06	building	16	뼈
07	queen	17	궁전, 궁궐
08	wall	18	우스운, 재미있는
09	mad	19	소풍
10	restroom	20	(건물을) 짓다, 건축하다

함께 외우는 어휘 쌍

우리말을 보고 알맞은 단어를 쓰세요.

21		재미, 즐거움	—		우스운, 재미있는
22		(건물을) 짓다	—		건물
23		사냥(하다)	—		사냥꾼
24		관광(하다)	—		관광객

DAY 25

481
rule
[ru:l]

명 규칙, 원칙

Remember the classroom **rule**: Don't run in the classroom.
학급 규칙을 기억하세요: 교실에서 뛰지 마시오.
follow[break] a **rule** 규칙을 따르다[어기다]

482
follow
[fάlou]

동 ¹(~의 뒤를) 따라가다[오다] ²(규칙 등을) 따르다, 지키다

A cute dog is **following** me.
귀여운 개 한 마리가 나를 따라오고 있다.
Do they **follow** the safety rules?
그들은 안전 수칙을 지키니?

483
fire
[fáiər]

명 불, 화재

Don't make a **fire** in the forest.
숲에서 불을 피우지 마시오.

484
firefighter
[fáiərfaitər]

명 소방관

The **firefighter** is putting out a fire.
소방관이 불을 끄고 있다.

485
danger
[déindʒər]

명 위험

Firefighters save people in **danger**.
소방관은 위험에 처한 사람들을 구한다.

486
dangerous
[déindʒərəs]

형 위험한

Touching wild animals is **dangerous**.
야생 동물을 만지는 것은 위험하다.

487

mirror

[mírər]

명 거울

Look in the **mirror**. 거울을 들여다봐.

488

practice

[prǽktis]

동 연습하다 명 연습

He has to **practice** the piano.
그는 피아노 연습을 해야 한다.
Don't be late for basketball **practice**.
농구 연습에 늦지 마.

489

sure

[ʃuər]

형 확신하는, 확실히 아는

She is not **sure** about her dream.
그녀는 자신의 꿈에 대해 확신하지 못한다.

490

match

[mætʃ]

명 ¹경기, 시합 ²성냥 동 어울리다

We have a soccer **match** tomorrow.
우리는 내일 축구 경기가 있다.
Start a fire with a **match**. 성냥으로 불을 켜시오.
Tomato sauce will **match** well with beef.
토마토 소스는 소고기와 잘 어울릴 것이다.

491

strange

[streindʒ]

형 ¹이상한 ²낯선

The story sounds very **strange**.
그 이야기는 매우 이상하게 들린다.
I was alone in a **strange** city. 나는 낯선 도시에서 혼자였다.

492

amazing

[əméiziŋ]

형 놀라운, 대단한

Dogs have an **amazing** sense of smell.
개는 놀라운 후각을 지니고 있다.

493

adventure

[ədvéntʃər]

명 모험

I love **adventure** stories. 나는 모험 이야기를 좋아한다.

494

season
[síːzn]

명 ¹계절 ²철, 시기

What's your favorite **season**?
네가 가장 좋아하는 계절은 무엇이니?
in the rainy **season** 우기에

495

special
[spéʃəl]

형 특별한

We wear a *hanbok* on **special** days.
우리는 특별한 날에 한복을 입는다.

496

common
[kámən]

형 ¹흔한 ²공통의, 공동의 ³보통의, 평범한

Jane is a **common** English name.
Jane은 흔한 영어 이름이다.
The players are working hard for their **common** goal.
그 선수들은 그들의 공동의 목표를 위해 열심히 노력하고 있다.
common sense 상식

497

popular
[pápjulər]

형 인기 있는

His new song is very **popular**.
그의 새 노래는 매우 인기 있다.

498

still
[stil]

부 아직도, 여전히

It's **still** cold. You should wear your coat.
아직 날씨가 추워. 넌 코트를 입어야 해.

499

subject
[sʌ́bdʒikt]

명 ¹주제, 화제 ²과목

The **subject** of this book is art. 이 책의 주제는 예술이다.
My favorite **subject** is P.E.
내가 가장 좋아하는 과목은 체육이다.

500

elementary
[èləméntəri]

형 초보의, 초급의

I miss my friends from **elementary** school.
나는 초등학교 때의 친구들이 그립다.

영어는 우리말로, 우리말은 영어로 쓰세요.

01	rule	11	주제, 화제; 과목
02	special	12	아직도, 여전히
03	match	13	연습(하다)
04	amazing	14	소방관
05	elementary	15	거울
06	fire	16	이상한; 낯선
07	popular	17	흔한; 공통의; 보통의
08	sure	18	계절; 철, 시기
09	danger	19	모험
10	follow	20	위험한

함께 외우는 어휘 쌍

우리말을 보고 알맞은 단어를 쓰세요.

21 [   ] 불, 화재 — [   ] 소방관

22 [   ] 위험 — [   ] 위험한

23 [   ] 특별한 — [   ] 보통의, 평범한

Idioms in Use DAY 21-25

DAY 21 407

spend ~ on ...

···에 ~을 쓰다[소비하다]

I wanted to **spend** the money **on** new clothes.
나는 새 옷을 사는 데 그 돈을 쓰고 싶었다.

DAY 22 435

for example

예를 들면

Dogs cannot see other colors well. **For example**, they cannot see red.
개는 다른 색을 잘 볼 수 없다. 예를 들면, 그들은 빨간색을 볼 수 없다.

DAY 24 469

have fun

즐기다, 재미있게 놀다

Join our club and **have fun**!
우리 동아리에 가입해서 즐거운 시간을 보내세요!

DAY 25 485

be in danger

위험에 빠지다[처하다]

Many wild animals **are in danger** now.
현재 많은 야생 동물들이 위험에 처해 있다.

DAY 25 496

have ~ in common

~을 공통으로 지니다

We **have** so much **in common**, and we are good friends. 우리는 공통점이 아주 많고, 좋은 친구이다.

Spelling Puzzle

■ Can you spell these words?

oercs (득점; 득점하다)

1 _____

selocht (옷, 의복)

2 _____

daaecheh (두통)

3 _____

srsco (건너다)

4 _____

dhploni (돌고래)

5 _____

ylcuk (행운의, 운이 좋은)

6 _____

ieihffgrrte (소방관)

7 _____

eplcaa (궁전, 궁궐)

8 _____

DAY 26

501

sweet
[swiːt]

형 ¹달콤한, 단 ²상냥한, 다정한

Honey tastes **sweet**. 꿀은 단 맛이 난다.
Minji is a **sweet** granddaughter to Grandpa.
민지는 할아버지에게 다정한 손녀이다.

502

mix
[miks]

동 섞이다, 섞다

Can you **mix** the eggs, sugar, and milk, please?
달걀, 설탕, 그리고 우유를 섞어주겠니?

503

shake
[ʃeik]
shook – shaken

동 ¹흔들리다, 흔들다 ²(몸이·목소리가) 떨리다, 떨다

The building **shook** for a few minutes.
건물이 몇 분 동안 흔들렸다.
He was **shaking** with cold. 그는 추위로 몸을 떨고 있었다.

504

final
[fáinl]

형 마지막의, 최후의 명 ¹결승전 ²기말 시험

What was the **final** score? 최종 점수가 몇 점이니?
the World Cup **Final** 월드컵 결승전

505

finally
[fáinəli]

부 ¹마침내, 결국 ²(여러 개를 언급할 때) 마지막으로

I **finally** fixed my computer. 나는 마침내 내 컴퓨터를 고쳤다.
Finally, add some salt. 마지막으로, 소금을 첨가하세요.

506

solve
[sɑlv]

동 (문제 등을) 풀다, 해결하다

How did you **solve** this puzzle?
너는 어떻게 이 퍼즐을 풀었니?

507

step

[step]

명 ¹(발)걸음 ²단계 통 (발걸음을 떼어) 움직이다

She took a **step** carefully. 그녀는 조심스럽게 발걸음을 떼었다.
Follow these **steps**. 이 단계들을 따르세요.
I **stepped** into the river. 나는 강물에 발을 들여놓았다.

508

straight

[streit]

부 ¹똑바로 ²곧장 형 곧은, 똑바른

Go **straight** and turn right. 직진하셔서 우회전하시오.
straight hair 직모

509

above

[əbʌ́v]

전 (위치가) ~보다 위에[위로] 부 위에, 위로

Stretch your arms **above** your head.
머리 위로 팔을 뻗어라.

510

below

[bilóu]

전 (위치가) ~보다 아래에 부 아래[밑]에

Ants live **below** ground.
개미는 땅 아래에 산다.

511

huge

[hju:dʒ]

형 (크기·양·정도가) 거대한, 엄청난

Whales are **huge** animals.
고래는 거대한 동물이다.
I am a **huge** fan of K-pop music.
나는 케이팝 음악의 엄청난 팬이다.

512

tradition

[trədíʃən]

명 전통, 관습

Koreans have a **tradition** of eating *tteokguk* on New Year's Day. 한국인은 새해에 떡국을 먹는 전통이 있다.

513

traditional

[trədíʃnl]

형 전통의, 전통적인

Ganggangsullae is a kind of Korean **traditional** dance.
강강술래는 한국 전통 춤의 한 종류이다.

514

even
[íːvn]

부 ~조차(도), 심지어

Even a baby blue whale is big.
새끼 흰긴수염고래조차도 크기가 크다.

515

possible
[pásəbl]

형 가능한

We believe it's **possible** to be world champions.
우리는 세계 챔피언이 되는 것이 가능하다고 믿는다.

516

scene
[siːn]

명 (연극 · 영화 등의) 장면

What do you think about the last **scene** of this movie?
너는 이 영화의 마지막 장면에 대해 어떻게 생각하니?

517

film
[film]

명 영화 동 촬영하다, 찍다

My hobby is watching **films**. 내 취미는 영화를 보는 것이다.
He said to the cameraman, "Let's **film** this scene!"
그는 촬영기사에게 "이 장면을 촬영합시다!"라고 말했다.

518

theater
[θíːətər]

명 극장

Let's meet in front of the movie **theater**.
영화관 앞에서 만나자.

519

trash
[træʃ]

명 쓰레기

You should not throw **trash** on the floor.
바닥에 쓰레기를 버려서는 안 된다.

520

volunteer
[vàləntíər]

명 자원봉사자 동 자원하다, 자원봉사를 하다

The **volunteers** were picking up trash in the park.
자원봉사자들은 공원에서 쓰레기를 줍고 있었다.
I **volunteered** at the nursing home.
나는 요양원에서 자원봉사를 했다.

바로 테스트

< Way to go!

정답 195쪽

영어는 우리말로, 우리말은 영어로 쓰세요.

01	mix		11	극장
02	film		12	달콤한; 상냥한
03	even		13	(문제 등을) 풀다, 해결하다
04	possible		14	~보다 아래에
05	trash		15	(발)걸음; 단계; 움직이다
06	scene		16	마침내, 결국; 마지막으로
07	above		17	거대한, 엄청난
08	tradition		18	전통의, 전통적인
09	straight		19	흔들리다; 떨리다
10	final		20	자원봉사자; 자원하다

함께 외우는 어휘 쌍

우리말을 보고 알맞은 단어를 쓰세요.

21		마지막의, 최후의	—		마침내, 결국
22		~보다 위에	—		~보다 아래에
23		전통, 관습	—		전통의, 전통적인

521

price
[prais]

명 값, 가격

I bought some apples at a low **price**.
나는 싼 가격에 사과를 좀 샀다.

522

cheap
[tʃiːp]

형 (값이) 싼

The food in this restaurant is **cheap** and delicious.
이 식당의 음식은 싸고 맛있다.

523

expensive
[ikspénsiv]

형 비싼

I think the red bag is too **expensive**.
나는 그 빨간 가방이 너무 비싸다고 생각해.

524

design
[dizáin]

명 디자인 동 디자인하다, 설계하다

I like the **design** of this hat.
나는 이 모자의 디자인이 마음에 든다.
Emma **designs** women's clothes.
Emma는 여성복을 디자인한다.

525

shout
[ʃaut]

동 외치다

We started to **shout**, "Best prices here!"
우리는 "여기가 최저가예요!"라고 외치기 시작했다.

526

hear
[hiər]
heard – heard

동 듣다, 들리다

He **heard** a cry from a tree.
그는 나무에서 울부짖는 소리를 들었다.
I can't **hear** you. 난 네 말이 들리지 않아.

527

sign
[sain]

명 ¹표지판 ²신호, 몸[손]짓   동 서명하다

The **sign** says, "KEEP OFF."
표지판에 '출입 금지'라고 적혀 있다.
a thumbs-up **sign**   엄지손가락을 세우는 손짓
Sign your name, please.   서명해 주세요.

528

mean
[miːn]
meant – meant

동 ~을 의미하다   형 심술궂은, 못된

What does that sign **mean**?   저 표지판은 무엇을 의미하니?
Don't be **mean** to your brother.   네 남동생에게 심술궂게 굴지 마.

529

actually
[ǽktʃuəli]

부 사실, 실제로

Actually, I like a boy in this class.
사실 나는 이 반의 한 소년을 좋아한다.

530

information
[ìnfərméiʃən]

명 정보

Visit the website for more **information**.
더 많은 정보를 얻으시려면 웹사이트를 방문하세요.

531

gather
[ɡǽðər]

동 ¹(사람들이) 모이다, 모으다 ²(정보 등을) 수집하다

The kids **gathered** in the yard.   아이들이 마당에 모였다.
gather information   정보를 수집하다

532

report
[ripɔ́ːrt]

명 보고(서)   동 보고[신고]하다

She helped me with my science **report**.
그녀는 내가 과학 보고서를 쓰는 것을 도와주었다.
You should **report** your missing dog to the police.
너는 네 실종된 개를 경찰에 신고해야 한다.

533

reporter
[ripɔ́ːrtər]

명 기자, 리포터

I want to be a news **reporter**.
나는 뉴스 기자가 되고 싶다.

534

soon

[suːn]

부 곧, 머지않아

Parents' Day is coming **soon**.
곧 어버이날이다.

535

own

[oun]

형 자기 자신의   동 소유하다

Do you have your **own** blog?
너는 너만의 블로그를 가지고 있니?

She **owns** two cars.
그녀는 두 대의 차를 소유하고 있다.

536

owner

[óunər]

명 주인, 소유자

He shook hands with the shop **owner**.
그는 가게 주인과 악수했다.

537

pet

[pet]

명 애완동물

I don't have a **pet**, but she has a dog.
나는 애완동물이 없지만, 그녀는 개를 기른다.

538

tooth

[tuːθ]

복 teeth

명 이, 치아

Brush your **teeth** three times a day.
하루에 세 번 이를 닦아라.

539

toothbrush

[túːθbrʌʃ]

명 칫솔

We use a **toothbrush** to clean our teeth.
우리는 이를 깨끗이 하기 위해 칫솔을 사용한다.

540

dentist

[déntist]

명 치과 의사

The **dentist** pulled out my tooth.
치과 의사가 내 이를 뽑았다.

go to the **dentist** 치과에 가다

영어는 우리말로, 우리말은 영어로 쓰세요.

01	cheap	11	듣다, 들리다
02	information	12	기자
03	owner	13	비싼
04	design	14	값, 가격
05	tooth	15	칫솔
06	report	16	치과 의사
07	shout	17	애완동물
08	sign	18	곧, 머지않아
09	actually	19	~을 의미하다; 심술궂은, 못된
10	gather	20	자기 자신의; 소유하다

◤ **함께 외우는 어휘 쌍**

우리말을 보고 알맞은 단어를 쓰세요.

21		보고[신고]하다	—		기자
22		소유하다	—		주인, 소유자
23		이, 치아	—		칫솔
24		(값이) 싼	—		비싼

DAY 28

541

perfect

[pə́ːrfikt]

형 ¹(결함 없이) 완벽한 ²(필요·목적에) 꼭 알맞은, 안성맞춤의

Her English was **perfect**. 그녀의 영어는 완벽했다.
They found the **perfect** jobs for them.
그들은 그들에게 꼭 맞는 직업을 발견했다.

542

proud

[praud]

형 자랑스러워하는, 자랑스러운

I'm really **proud** of my work.
나는 내 작품이 정말 자랑스럽다.

543

order

[ɔ́ːrdər]

명 ¹순서 ²명령 ³주문 동 ¹명령하다 ²(음식 등을) 주문하다

Put the books in the right **order**. 책들을 올바른 순서로 놓아두어라.
Can I take your **order**? 주문하시겠어요?
He **ordered** me to stand up. 그는 나에게 일어나라고 명령했다.

544

rice

[rais]

명 밥, 쌀

I ordered *bulgogi* fried **rice**.
나는 불고기 볶음밥을 주문했다.

545

feed

[fiːd]

fed – fed

동 먹이를 주다, (밥·우유 등을) 먹이다

Don't forget to **feed** your dog.
네 개에게 먹이 주는 것을 잊지 마.

546

usually

[júːʒuəli]

부 보통, 대개

What do you **usually** do with your smartphone?
너는 스마트폰으로 보통 무엇을 하니?

547

tea
[ti:]

명 차, 찻잎

Do you want some lemon **tea**?
레몬차를 좀 드시겠어요?

548

pour
[pɔ:r]

동 ¹붓다, 따르다 ²(비가) 마구 쏟아지다

Pour some milk into the cup.
컵에 우유를 약간 부으세요.

549

inside
[ìnsáid]

부 안에, 안으로 전 ~ 안에 명 안, 내부

It's cold. Let's go **inside**. 날씨가 추워. 안으로 들어가자.
You must not bring food **inside** the gallery.
여러분은 미술관 안에 음식을 들고 가실 수 없습니다.

550

outside
[àutsáid]

부 밖에, 밖으로 전 ~ 밖에 명 겉(면), 바깥쪽

Is it snowing **outside**? 밖에 눈이 오고 있니?
the **outside** of the building 건물의 외부

551

then
[ðen]

부 ¹(과거 · 미래의) 그때 ²그 다음에 ³그렇다면

I'll see you **then**. 그때 보자.
I watched TV for an hour. **Then** I did my homework.
나는 한 시간 동안 TV를 봤다. 그 다음에 숙제를 했다.
Do you like badminton? **Then** join our club.
배드민턴을 좋아하세요? 그렇다면 우리 동아리에 가입하세요.

552

beauty
[bjú:ti]

명 ¹아름다움, 미(美) ²미인

You can enjoy the **beauty** of nature here.
당신은 이곳에서 자연의 아름다움을 즐길 수 있습니다.
Maria is a great **beauty**. Maria는 대단한 미인이다.

553

beautiful
[bjú:təfəl]

형 아름다운

What a **beautiful** garden!
정말 아름다운 정원이구나!

554

character
[kǽriktər]

명 ¹성격, 기질 ²(책·영화 등의) 등장인물 ³글자

He has a shy **character**. 그는 수줍음이 많은 성격이다.
Spiderman is a famous comic book **character**.
스파이더맨은 유명한 만화책 등장인물이다.
I can write my name in Chinese **characters**.
나는 중국어로 내 이름을 쓸 수 있다.

555

piece
[pi:s]

명 한 부분[조각], 한 개

Would you like a **piece** of pizza?
피자 한 조각을 먹을래?

556

recycle
[rì:sáikl]

동 재활용하다

Recycle cans, bottles, and paper.
캔, 병, 그리고 종이를 재활용하시오.

557

social
[sóuʃəl]

형 사회의, 사회적인

Food waste is a big **social** problem.
음식물 쓰레기는 중대한 사회적 문제이다.

558

maybe
[méibi:]

부 어쩌면, 아마

Maybe I left my key at home.
어쩌면 나는 열쇠를 집에 두고 왔는지도 모른다.

559

every
[évri]

형 ¹모든 ²(빈도) 매~, ~마다

Every child is special. 모든 아이들은 특별하다.
I play soccer **every** Wednesday.
나는 매주 수요일마다 축구를 한다.

560

everywhere
[évriweər]

부 모든 곳에, 어디나

Some people leave trash **everywhere**.
몇몇 사람들은 쓰레기를 여기저기에 남겨둔다.

영어는 우리말로, 우리말은 영어로 쓰세요.

01	rice	11	완벽한; 꼭 알맞은
02	tea	12	먹이를 주다
03	usually	13	순서; 명령(하다); 주문(하다)
04	maybe	14	성격; 등장인물; 글자
05	inside	15	자랑스러워하는
06	beautiful	16	밖에, 밖으로; 겉(면)
07	social	17	붓다; (비가) 마구 쏟아지다
08	every	18	아름다움; 미인
09	then	19	재활용하다
10	piece	20	모든 곳에, 어디나

▶ 함께 외우는 어휘 쌍

우리말을 보고 알맞은 단어를 쓰세요.

21		안에, 안으로	—		밖에, 밖으로
22		아름다움; 미인	—		아름다운
23		모든; 매~, ~마다	—		모든 곳에, 어디나

561

post

[poust]

명 우편(물) 동 ¹(우편물을) 발송하다 ²(웹사이트에) 게시하다

Grandma sent me a Christmas card by **post**.
할머니는 내게 크리스마스 카드를 우편으로 보내셨다.

We take pictures and **post** them online.
우리는 사진을 찍어서 온라인에 올린다.

562

poster

[póustər]

명 포스터, 벽보

He is looking at the movie **poster**.
그는 영화 포스터를 보고 있다.

563

tip

[tip]

명 ¹(뾰족한) 끝 ²조언 ³팁, 봉사료

He cut the **tip** of his finger. 그는 손가락 끝을 베였다.
I can give you some cooking **tips**.
나는 네게 요리에 대한 조언을 좀 줄 수 있다.
leave a **tip** 팁을 남기다

564

recipe

[résəpi]

명 조리[요리]법

I found the **recipe** for *cupbap* from a cookbook.
나는 요리책에서 컵밥 조리법을 찾았다.

565

share

[ʃɛər]

동 ¹함께 쓰다, 공유하다 ²나누다, 나눠 주다

My brother and I are **sharing** a room.
나의 형과 나는 방을 함께 쓰고 있다.

She **shared** her candies with her sister.
그녀는 여동생과 사탕을 나눠 가졌다.

566

other

[ʌ́ðər]

형 다른, 그 밖의 대 다른 사람[것]

Are there any **other** questions? 그 밖에 다른 질문들이 있나요?
Be kind to **others**. 다른 사람들에게 친절해라.

567

shape

[ʃeip]

명 ¹모양, 형태 ²체형, 몸매

First, make a plus **shape** like this.
우선, 이것처럼 더하기 모양을 만드시오.

keep in **shape** (건강한) 몸매를 유지하다

568

round

[raund]

형 둥근, 원형의

I like the T-shirt with the **round** neck.
나는 목이 둥글게 파인 티셔츠가 마음에 든다.

569

circle

[sə́ːrkl]

명 원, 동그라미

Draw a big **circle**.
큰 원을 그리시오.

570

square

[skwɛər]

명 ¹정사각형 ²광장　형 정사각형 모양의

Write the number in the **square**.
정사각형 안에 숫자를 쓰시오.

the main **square** 주 광장
a **square** room 정사각형 모양의 방

571

triangle

[tráiæ̀ŋgl]

명 삼각형

A **triangle** has three sides.
삼각형은 세 개의 변이 있다.

572

happen

[hǽpən]

동 (사건 등이) 일어나다, 발생하다

Yesterday a funny thing **happened** at dinner.
어제 저녁 식사 때 재미있는 일이 일어났다.

573

excuse

동[ikskjúːz]
명[ikskjúːs]

동 ¹용서하다 ²양해를 구하다　명 변명

Please **excuse** me for being so late.
제가 너무 늦게 온 것을 용서해 주세요.

make an **excuse** 변명하다

574

island

[áilənd]

명 섬

Dokdo has two big **islands** and many small **islands**.
독도는 두 개의 큰 섬과 많은 작은 섬으로 이루어져 있다.

575

center

[séntər]

명 ^{1}중심, 중앙 ^{2}종합 시설, 센터

Mt. Halla stands at the **center** of Jeju Island.
한라산은 제주도의 중심에 위치해 있다.

a shopping **center** 쇼핑 센터

576

pond

[pɑnd]

명 연못

We took the elephants to a **pond** for a mud bath.
우리는 진흙 목욕을 위해 코끼리들을 연못으로 데려갔다.

577

magazine

[mæ̀gəzíːn]

명 잡지

Can you buy a movie **magazine** for me?
나를 위해 영화 잡지를 사 주겠니?

578

cartoon

[kɑːrtúːn]

명 만화 (영화)

Oh, you draw **cartoons** really well.
오, 너는 만화를 정말 잘 그리는구나.

579

interest

[íntərəst]

명 관심(사), 흥미, 호기심

I have an **interest** in cartoons.
나는 만화에 관심이 있다.

580

interesting

[íntərəstiŋ]

형 재미있는, 흥미로운

I think the book is **interesting**.
나는 그 책이 재미있다고 생각한다.

영어는 우리말로, 우리말은 영어로 쓰세요.

01 pond

02 other

03 post

04 tip

05 center

06 excuse

07 circle

08 round

09 interest

10 cartoon

11 포스터, 벽보

12 삼각형

13 재미있는, 흥미로운

14 조리[요리]법

15 정사각형 (모양의); 광장

16 함께 쓰다; 나누다

17 잡지

18 모양, 형태; 체형, 몸매

19 섬

20 (사건 등이) 일어나다

◀ 함께 외우는 어휘 쌍

우리말을 보고 알맞은 단어를 쓰세요.

21 _____ 삼각형 — _____ 정사각형

22 _____ 우편(물); 게시하다 — _____ 포스터, 벽보

23 _____ 관심(사), 흥미 — _____ 재미있는, 흥미로운

DAY 30

581

station
[stéiʃən]

명 ¹역, 정류장 ²(특정 서비스가 제공되는 장소) -소, -서

How can I get to the subway **station**?
지하철역에 어떻게 가나요?

a police **station** 경찰서

582

village
[vílidʒ]

명 (시골) 마을

He lives in a country **village**.
그는 시골 마을에 산다.

583

stage
[steidʒ]

명 ¹단계[시기] ²무대

The plan is still at an early **stage**.
그 계획은 아직 초기 단계이다.

He plays his violin on **stage**.
그는 무내에서 바이올린을 연수한다.

584

exciting
[iksáitiŋ]

형 신나는, 흥미진진한

Baseball games are very **exciting**.
야구 경기는 매우 흥미진진하다.

585

cheer
[tʃiər]

동 응원[환호]하다 명 환호(성)

We **cheer** for the school soccer team.
우리는 학교 축구 팀을 응원한다.

586

cheerful
[tʃiərfəl]

형 발랄한, 명랑한

The girl has a **cheerful** smile.
그 소녀는 발랄한 미소를 지니고 있다.

587

item
[áitəm]

명 ¹물품, 상품 ²(목록상의) 항목

You can try on any **item** in our store.
여러분은 저희 가게에 있는 어떤 상품이든 입어 보실 수 있어요.

588

uniform
[júːnəfɔ̀ːrm]

명 제복, 교복

My school **uniform** is too big.
내 교복은 너무 크다.

589

grade
[greid]

명 ¹성적 ²학년 ³등급

I hope I get good **grades**.
나는 좋은 성적을 받기 바란다.
She's in seventh **grade**. 그녀는 7학년이다.

590

gym
[dʒim]

명 체육관

We are going to play basketball in the school **gym**.
우리는 학교 체육관에서 농구를 할 것이다.

591

part
[pɑːrt]

명 ¹일부, 약간 ²부분

The hat is **part** of my school uniform.
모자는 우리 교복의 일부이다.

592

whole
[houl]

형 전체의, 모든, 온전한 명 전체

Word traveled around the **whole** town.
소문은 마을 전체에 퍼졌다.

593

let
[let]

let – let

동 ¹~하게 놓아두다, ~하도록 허락하다 ²(Let's) ~하자

He **let** her ride his bike.
그는 그녀가 그의 자전거를 타게 했다.
Let's go on a picnic. 소풍 가자.

594

poem

[póuəm]

명 (한 편의) 시(詩)

I wrote a **poem** about my best friend.
나는 내 가장 친한 친구에 대해 시를 썼다.

595

express

[iksprés]

동 (감정·의견 등을) 나타내다, 표현하다

How often do you **express** love to your family?
너는 얼마나 자주 가족에게 사랑을 표현하니?

596

vacation

[veikéiʃən]

명 방학, 휴가

Summer **vacation** starts next week.
다음 주에 여름 방학이 시작된다.

on **vacation** 휴가 중인

597

festival

[féstəvəl]

명 축제

The music **festival** takes place every August.
그 음악 축제는 매년 8월에 열린다.

598

moment

[móumənt]

명 ¹(특정한) 순간 ²잠깐, 잠시

Someone took a picture of that **moment**.
누군가 그 순간을 사진으로 찍었다.

He thought for a **moment**. 그는 잠시 생각했다.

599

real

[ríːəl]

형 ¹(가상·허구가 아닌) 실제의 ²진짜의

This is a **real** story. 이것은 실화이다.
The cow in the painting looks **real**.
그림 속의 젖소는 진짜처럼 보인다.

600

really

[ríːəli]

부 ¹(강조) 아주, 정말 ²실제로, 진짜로

You're **really** good friends.
너희들은 정말 좋은 친구들이다.

영어는 우리말로, 우리말은 영어로 쓰세요.

01	gym	11	제복, 교복
02	cheer	12	단계[시기]; 무대
03	item	13	(시골) 마을
04	vacation	14	발랄한, 명랑한
05	whole	15	역, 정류장
06	really	16	~하게 놓아두다
07	poem	17	일부, 약간; 부분
08	moment	18	나타내다, 표현하다
09	grade	19	축제
10	exciting	20	실제의; 진짜의

▶ 함께 외우는 어휘 쌍

우리말을 보고 알맞은 단어를 쓰세요.

21		일부, 약간; 부분	―		전체
22		응원[환호]하다	―		발랄한, 명랑한
23		실제의; 진짜의	―		실제로, 진짜로

Idioms in Use

5회독 체크

DAY 27 527

sign up for

~을 신청[가입]하다

Let's **sign up for** the science camp.
과학 캠프를 신청하자.

DAY 28 542

be proud of

~을 자랑스러워하다

I **am** so **proud of** my family.
나는 우리 가족이 매우 자랑스럽다.

DAY 28 548

pour down

(비가) 퍼붓다

The heavy rain **poured down**. 폭우가 퍼부었다.

DAY 30 585

cheer up

기운을 내다, ~을 격려하다

Cheer up! You can do better next time.
기운 내! 너는 다음에 더 잘할 수 있어.

DAY 30 593

let ~ go

~을 놓아주다

I caught a small fish, but I **let** it **go**.
나는 작은 물고기를 잡았지만, 그것을 놓아주었다.

Word Puzzle

Find the words.

T	L	A	L	A	V	S	Y	U	L	B	S
E	R	X	M	I	O	H	L	S	L	P	X
C	L	A	S	K	L	A	O	U	G	Z	C
H	Y	C	D	X	U	K	A	A	E	X	E
E	I	E	Y	I	N	E	U	L	D	T	J
A	O	H	A	C	T	M	S	L	O	T	M
P	C	Z	H	P	E	I	U	Y	R	Q	E
N	M	U	F	N	E	R	O	I	P	P	N
L	G	U	D	Z	R	D	A	N	I	B	S
E	M	R	O	F	I	N	U	C	L	G	E
F	E	E	D	G	G	N	E	J	F	A	O
G	U	Y	J	L	R	R	L	U	R	J	M
D	C	R	E	H	A	P	P	E	N	C	H

tradition(전통, 관습)   huge(거대한)   recipe(조리법)

uniform(제복, 교복)   cheap(값이 싼)   recycle(재활용하다)

feed(먹이를 주다)   shake(흔들리다)   usually(보통, 대개)

volunteer(자원봉사자)   happen(발생하다)   triangle(삼각형)

601

penguin
[péŋgwin]

명 펭귄

Penguins cannot fly.
펭귄은 날 수 없다.

602

turtle
[tə́ːrtl]

명 (바다) 거북

A rabbit and a **turtle** decided to have a race.
토끼와 거북이가 경주를 하기로 결정했다.

603

wave
[weiv]

명 파도, 물결 동 흔들다, 흔들리다

In the sea, the **waves** are too strong.
바다에서는 파도가 너무 세다.

Minsu **waves** at his mom.
민수는 그의 엄마에게 손을 흔든다.

604

lot
[lɑt]

대 (a ~) 많음, 다량, 다수

Jimin has a **lot** to do today.
지민이는 오늘 할 일이 많다.

605

full
[ful]

형 ¹가득 찬 ²배가 부른

My bag is **full** of books. 내 가방은 책들로 가득 차 있다.
I'm **full**. I can't eat more. 나는 배가 불러. 더 먹을 수 없어.

606

empty
[émpti]

형 비어 있는, 빈

The boy put the **empty** bottle in a recycling bin.
그 소년은 빈 병을 재활용 쓰레기통에 넣었다.

607

hole
[houl]

명 ¹구멍 ²구덩이

Be careful! There's a **hole** in the ground.
조심해! 땅에 구덩이가 있어.

608

hometown
[hóumtáun]

명 고향

He always missed his **hometown**.
그는 항상 그의 고향을 그리워했다.

609

bored
[bɔːrd]

형 지루해하는

I'm **bored**. Can you turn on the TV?
난 지루해. TV를 켜주겠니?

610

boring
[bɔ́ːriŋ]

형 재미없는, 지루한

I hate watching **boring** movies.
나는 지루한 영화를 보는 것을 몹시 싫어한다.

611

excellent
[éksələnt]

형 훌륭한, 뛰어난

Grandma is an **excellent** cook.
할머니는 뛰어난 요리사이시다.

612

terrible
[térəbl]

형 끔찍한, 형편없는

The yellow dust is **terrible** these days.
요즘 황사가 지독하다.

613

each
[iːtʃ]

형 각각의, 각자의 대 각각, 각자

Each student brings a special item to school.
학생들 각자 특별한 물건을 학교로 가져 온다.

614

language
[lǽŋgwidʒ]

명 언어, 말

Jisu can speak three **languages**.
지수는 3개 국어를 말할 수 있다.

615

greet
[griːt]

동 인사하다, 맞이[환영]하다

Our teacher **greets** us every morning: "How are you today?"
우리 선생님은 매일 아침 우리에게 "오늘 기분이 어떠니?"라고 인사하신다.

616

without
[wiðáut]

전 ~ 없이

Some people walk their dogs **without** a leash.
어떤 사람들은 목줄 없이 그들의 개를 산책시킨다.

617

clue
[kluː]

명 단서, 힌트

The police found an important **clue**.
경찰은 중요한 단서를 찾았다.

618

stick
[stik]

stuck – stuck

명 막대기 동 ¹붙다, 붙이다 ²찌르다, 찔리다

We need four **sticks** for *yunnori*.
윷놀이를 하려면 4개의 막대기가 필요하다.
I'm going to **stick** this poster to the wall.
나는 이 포스터를 벽에 붙일 것이다.

619

blow
[blou]

blew – blown

동 ¹(바람이) 불다 ²(입으로) 불다

It was **blowing** hard. 바람이 심하게 불고 있었다.
I have to **blow** up these balloons.
나는 이 풍선들을 불어야 한다.

620

candle
[kǽndl]

명 양초

Where are the **candles** on my cake?
내 케이크 위에 초가 어디 있니?

바로 테스트

< Way to go!

정답 197쪽

영어는 우리말로, 우리말은 영어로 쓰세요.

01	lot	**11**	(바다) 거북
02	full	**12**	파도, 물결; 흔들(리)다
03	boring	**13**	지루해하는
04	excellent	**14**	고향
05	hole	**15**	비어 있는, 빈
06	each	**16**	언어, 말
07	stick	**17**	단서, 힌트
08	penguin	**18**	(바람이 · 입으로) 불다
09	candle	**19**	~ 없이
10	greet	**20**	끔찍한, 형편없는

▶ 함께 외우는 어휘 쌍

우리말을 보고 알맞은 단어를 쓰세요.

21		가득 찬	—	비어 있는, 빈
22		훌륭한, 뛰어난	—	끔찍한, 형편없는
23		지루해하는	—	재미없는, 지루한

DAY 32

621

create
[kriéit]

동 창조하다, 만들다

Picasso **created** a new kind of painting.
피카소는 새로운 종류의 그림을 창작했다.

622

creative
[kriéitiv]

형 창의적인, 독창적인

Small **creative** ideas can make big changes.
작은 창의적인 생각이 큰 변화를 만들 수 있다.

623

list
[list]

명 목록

You should make a shopping **list**.
너는 쇼핑 목록을 만들어야 한다.

624

fair
[fɛər]

형 공정한, 공평한   명 박람회

My teacher is **fair** to all students.
우리 선생님은 모든 학생에게 공정하시다.

Why don't we go to the book **fair** together?
우리 함께 도서 박람회에 가는 게 어때?

625

tired
[taiərd]

형 ¹피곤한, 지친 ²싫증이 난

I got very **tired** after the difficult exam.
나는 어려운 시험을 치른 후에 매우 피곤해졌다.

be sick and **tired** of ~에 진절머리가 나다

626

meal
[mi:l]

명 식사, 끼니

He has a big **meal** every morning.
그는 매일 아침 푸짐한 식사를 한다.

627

chef
[ʃef]

명 요리사, 주방장

Do you want to be a **chef** in the future?
너는 장래에 요리사가 되고 싶니?

628

health
[helθ]

명 건강

Exercise is good for your **health**.
운동은 네 건강에 좋다.

629

healthy
[hélθi]

형 ¹건강한 ²건강에 좋은

He looks strong and **healthy**. 그는 힘이 세고 건강해 보인다.
You should eat **healthy** food. 너는 건강에 좋은 음식을 먹어야 한다.

630

spicy
[spáisi]

형 ¹매운, 매콤한 ²양념이 된

I enjoy eating **spicy** food.
나는 매운 음식 먹기를 즐긴다.

631

plate
[pleit]

명 접시

Don't leave any food on the **plate**.
접시 위에 어떤 음식도 남기지 마.

632

pot
[pɑt]

명 냄비, 솥

Put the eggs in a **pot** with water.
계란들을 물과 함께 냄비에 넣으세요.

633

boil
[bɔil]

동 끓다, 끓이다

Water **boils** at 100°C. 물은 섭씨 100도에서 끓는다.
Boil water and put in the noodles.
물을 끓이고 국수를 집어 넣으세요.

634

hurt

[həːrt]

hurt – hurt

동 ¹다치게 하다 ²아프다

He fell and **hurt** his leg. 그는 넘어져서 다리를 다쳤다.

My neck **hurts** a lot. Ouch! 내 목은 매우 아프다. 아야!

635

suddenly

[sʌ́dnli]

부 갑자기

Alex **suddenly** had a bright idea.

Alex는 갑자기 기발한 생각이 떠올랐다.

636

hide

[haid]

hid – hidden

동 ¹숨기다, 감추다 ²숨다

The foxes are **hiding** behind the rocks.

그 여우들은 바위 뒤에 숨어 있다.

637

discover

[diskʌ́vər]

동 발견하다

The scientist **discovered** a new fact.

그 과학자는 새로운 사실을 발견했다.

638

matter

[mǽtər]

명 문제, 일 동 중요하다

What's the **matter**? 무슨 일이니?

Age doesn't **matter**. 나이는 중요하지 않다.

639

goat

[gout]

명 염소

The **goats** are eating grass.

염소들이 풀을 먹고 있다.

640

raise

[reiz]

동 ¹들어 올리다, 들다 ²키우다, 기르다 ³(자금 등을) 모으다

Raise your hand. 손을 드세요.

My uncle **raises** goats on his farm.

나의 삼촌은 농장에서 염소를 키우신다.

We want to **raise** money for sick children.

우리는 아픈 아이들을 위해 돈을 모으고 싶다.

영어는 우리말로, 우리말은 영어로 쓰세요.

01	chef	11	식사, 끼니
02	fair	12	건강한; 건강에 좋은
03	discover	13	염소
04	spicy	14	피곤한; 싫증이 난
05	health	15	냄비, 솥
06	create	16	목록
07	raise	17	갑자기
08	hurt	18	끓다, 끓이다
09	plate	19	숨기다, 감추다; 숨다
10	matter	20	창의적인, 독창적인

함께 외우는 어휘 쌍
우리말을 보고 알맞은 단어를 쓰세요.

21 [   ] 숨기다; 숨다 — [   ] 발견하다

22 [   ] 창조하다, 만들다 — [   ] 창의적인, 독창적인

23 [   ] 건강 — [   ] 건강한; 건강에 좋은

DAY 33

5회독 체크

641

seat
[si:t]

명 좌석, 자리

I think you're in the wrong **seat**.
당신은 좌석을 잘못 앉으신 것 같아요.
Please have a **seat**. 자리에 앉으세요.

642

nail
[neil]

명 ¹손톱, 발톱 ²못

Stop biting your **nails**.
손톱을 그만 물어 뜯어라.
Nails were sticking out here and there.
못이 여기저기에 튀어나와 있었다.

643

toe
[tou]

명 발가락

Bend your body forward and touch your **toes**.
앞으로 몸을 굽혀서 발가락을 건드려라.

644

already
[ɔːlrédi]

부 이미, 벌써

I'm sorry, but I **already** have plans that day.
미안하지만, 그날 나는 이미 계획이 있어.

645

yet
[jet]

부 ¹[부정문·의문문] 아직 ²[의문문] 이제, 지금쯤

They're not home **yet**. 그들은 아직 집에 오지 않았다.
Is dinner ready **yet**? 이제 저녁이 준비되었니?

646

secret
[síːkrit]

명 비밀 형 비밀의

I won't tell anyone your **secret**.
난 아무에게도 네 비밀을 말하지 않을게.

647

level

[lévəl]

명 ¹수준, 단계 ²높이

This lesson is for elementary-**level** students.
이 수업은 초급 수준의 학생들을 위한 것입니다.

Hold the phone at eye **level**.
전화기를 눈높이로 들어라.

648

math

[mæθ]

(= **mathematics**)

명 수학

Can you help me with my **math** homework?
너는 내 수학 숙제를 도와줄 수 있니?

649

mistake

[mistéik]

명 실수, 잘못

She made a lot of **mistakes** during her first test.
그녀는 첫 시험 동안 많은 실수를 저질렀다.

by **mistake** 실수로

650

serious

[síəriəs]

형 ¹심각한 ²진지한

Fine dust is a **serious** problem.
미세먼지는 심각한 문제이다.

Are you **serious**? 정말이니?

651

invent

[invént]

동 발명하다

Nam June Paik **invented** video art in 1963.
백남준은 1963년에 비디오 아트를 발명했다.

652

invention

[invénʃən]

명 발명(품)

The 3D printer is an amazing **invention**.
3D 프린터는 놀라운 발명품이다.

653

inventor

[invéntər]

명 발명가

Thomas Edison was the **inventor** of the light bulb.
토마스 에디슨은 전구의 발명가였다.

654

sport

[spɔːrt]

명 스포츠, 운동

My favorite **sport** is tennis.
내가 가장 좋아하는 운동은 테니스이다.

655

member

[mémbər]

명 회원, 일원

Suji is a new **member** of the school dance club.
수지는 학교 춤 동아리의 새 회원이다.

656

coach

[koutʃ]

명 (스포츠 팀의) 코치, 감독 동 코치하다, 지도하다

He was a great football **coach**.
그는 훌륭한 미식축구 감독이었다.

657

record

명[rékərd]
동[rikɔ́ːrd]

명 ¹기록 ²음반 동 ¹기록하다 ²녹음[녹화]하다

Keep a **record** of your spending. 네 지출을 기록해라.
He **recorded** his life there in his diary.
그는 그곳에서의 생활을 일기에 기록했다.

658

pack

[pæk]

동 ¹(짐을) 싸다 ²포장하다

Are you **packing** for your trip to Chuncheon?
너는 춘천 여행을 위해 짐을 싸고 있니?

659

backpack

[bǽkpæk]

명 배낭

I'm going to buy a new **backpack**.
나는 새 배낭을 살 것이다.

660

through

[θruː]

전 ¹~을 통과하여, ~ 사이로 ²(수단) ~을 통해

Monkeys can move fast **through** the trees.
원숭이는 나무 사이를 통과하여 빠르게 이동할 수 있다.
Let's order a sandwich **through** an app.
앱을 통해 샌드위치를 주문하자.

바로 테스트

< Way to go!

정답 198쪽

영어는 우리말로, 우리말은 영어로 쓰세요.

01	nail		11	(짐을) 싸다; 포장하다
02	secret		12	발가락
03	member		13	이미, 벌써
04	backpack		14	좌석, 자리
05	invent		15	~을 통과하여; ~을 통해
06	serious		16	스포츠, 운동
07	math		17	실수, 잘못
08	yet		18	발명(품)
09	record		19	발명가
10	level		20	코치(하다)

▲ 함께 외우는 어휘 쌍

우리말을 보고 알맞은 단어를 쓰세요.

21		(짐을) 싸다	─		배낭
22		이미, 벌써	─		아직
23		발명하다	─		발명(품)

DAY 34

661

wonder
[wʌ́ndər]

[동] 궁금(해)하다 [명] 경탄, 경이(로운 것)

"What happened to her?" Peter **wondered**.
Peter는 "그녀에게 무슨 일이 있었지?"라며 궁금해했다.

the Seven **Wonders** of the World 세계 7대 불가사의

662

wonderful
[wʌ́ndərfəl]

[형] 아주 멋진, 신나는, 경이로운

Have a **wonderful** trip! 멋진 여행을 즐기렴!

663

photograph
[fóutəgræf]
(= **photo**)

[명] 사진

You shouldn't take **photographs** inside the museum.
너는 박물관 안에서 사진을 찍어서는 안 된다.

664

protect
[prətékt]

[동] 보호하다, 지키다

When we recycle, we can **protect** nature.
우리가 재활용을 할 때, 자연을 보호할 수 있다.

665

everything
[évriθìŋ]

[대] 모든 것, 모두

Everything is new in the spring.
봄에는 모든 것이 새롭다.

666

anything
[éniθìŋ]

[대] ¹[긍정문] 무엇이든 ²[부정문·의문문] 아무것도, 무언가

You can ask me **anything**. 나에게 무엇이든 물어봐도 돼.
He doesn't know **anything**. 그는 아무것도 모른다.
Is there **anything** wrong? 뭔가 문제가 있니?

667

rough
[rʌf]

형 ¹(표면이) 거친 ²대강의

His hands felt **rough**. 그의 손은 감촉이 거칠었다.
We drew a **rough** sketch of the house.
우리는 집의 밑그림을 대강 그렸다.

668

scary
[skέəri]

형 무서운, 겁나는

Do you like **scary** movies?
너는 공포 영화를 좋아하니?

669

skip
[skip]

동 거르다, 빼먹다

Many students often **skip** breakfast.
많은 학생들은 종종 아침을 거른다.
skip class[school] 수업을 빼먹다

670

talent
[tǽlənt]

명 재주, (타고난) 재능

The students showed their **talents** in the contest.
학생들은 경연대회에서 그들의 재주를 보여주었다.

671

insect
[ínsekt]

명 곤충

Ants are **insects**. 개미는 곤충이다.

672

once
[wʌns]

부 ¹한 번 ²(과거의) 한때

Our club members meet **once** a week.
우리 동아리 회원들은 일주일에 한 번 모인다.
She was **once** a famous actress.
그녀는 한때 유명한 여배우였다.

673

someday
[sʌ́mdèi]

부 (미래의) 언젠가, 훗날

I'd like to visit Paris **someday**.
나는 언젠가 파리를 방문하고 싶다.

674

until

[əntíl]

전 ~까지　접 ~할 때까지

Every item is on sale **until** May 5.
모든 상품이 5월 5일까지 할인합니다.

Let's stay here **until** the rain stops.
비가 그칠 때까지 여기 머무르자.

675

reason

[ríːzn]

명 ¹이유, 원인 ²근거

What's the **reason** for changing your mind?
네 마음을 바꾼 이유가 뭐니?

676

colorful

[kʌ́lərfəl]

형 다채로운, 형형색색의

Colorful fruits are good for your health.
다채로운 과일은 건강에 좋다.

677

director

[diréktər]

명 (영화·연극 등의) 감독, 연출자

I like movies, so I want to be a movie **director**.
나는 영화를 좋아해서 영화감독이 되고 싶다.

678

edit

[édit]

동 ¹수정하다 ²편집하다

The writer **edited** her writing.　그 작가는 그녀의 글을 수정했다.
edit a film　영화를 편집하다

679

jump

[dʒʌmp]

동 뛰다, 점프하다　명 점프

Kangaroos can **jump** high.
캥거루는 높이 점프할 수 있다.

680

knock

[nɑk]

동 (문을) 두드리다, 노크하다　명 노크 소리

Someone **knocked** on the front door.
누군가 현관문을 두드렸다.

바로 테스트

< Way to go!

정답 198쪽

영어는 우리말로, 우리말은 영어로 쓰세요.

01	jump	11	노크하다; 노크 소리	
02	colorful	12	재주, (타고난) 재능	
03	until	13	(영화·연극 등의) 감독	
04	once	14	이유, 원인; 근거	
05	skip	15	수정하다; 편집하다	
06	rough	16	(미래의) 언젠가, 훗날	
07	anything	17	곤충	
08	photograph	18	무서운, 겁나는	
09	wonderful	19	모든 것, 모두	
10	protect	20	궁금(해)하다; 경탄, 경이	

▲ 함께 외우는 어휘 쌍

우리말을 보고 알맞은 단어를 쓰세요.

21		모든 것, 모두	—		무엇이든; 아무것도
22		(과거의) 한때	—		(미래의) 언젠가, 훗날
23		경탄, 경이	—		아주 멋진, 경이로운

681

pair
[pɛər]

몡 한 쌍[켤레]

I'm looking for a **pair** of jeans.
저는 청바지 한 벌을 찾고 있습니다.

two **pairs** of shoes 신발 두 켤레

682

tie
[tai]

됭 (끈 등으로) 묶다, 묶어 놓다 몡 넥타이

I **tied** the boxes with a ribbon.
나는 그 상자들을 리본으로 묶었다.

He always wears a **tie** at work.
그는 직장에서 항상 넥타이를 매고 있다.

683

rope
[roup]

몡 밧줄

They tied his hands with **rope**.
그들은 밧줄로 그의 손을 묶었다.

684

slippery
[slípəri]

혱 미끄러운, 미끈거리는

Watch out! The floor is wet and **slippery**.
조심해! 바닥이 젖어서 미끄러워.

685

complete
[kəmplíːt]

혱 완전한, 완벽한 됭 완료하다, 끝마치다

It was a **complete** waste of time.
그것은 완전한 시간 낭비였다.

They **completed** their work on time.
그들은 제시간에 작업을 완료했다.

686

sentence
[séntəns]

몡 문장

What does this **sentence** mean?
이 문장은 무슨 뜻이니?

687

safe

[seif]

형 안전한

Don't cross at a red light. It's not **safe**.
빨간 불에 길을 건너지 마. 그건 안전하지 않아.

688

safety

[séifti]

명 안전

Safety always comes first.
안전이 항상 우선이다.

689

plastic

[plǽstik]

명 플라스틱　형 플라스틱으로 된

The toys are made of **plastic**.
그 장난감들은 플라스틱으로 만들어졌다.

a **plastic** bag　비닐봉지

690

die

[dai]

동 죽다

Many sea animals **die** from plastic.
많은 해양 동물들이 플라스틱 때문에 죽는다.

691

dead

[ded]

형 죽은

The body of a **dead** whale falls deep down into the sea.
죽은 고래의 사체는 바다 깊이 가라앉는다.

692

interview

[íntərvjùː]

명 ¹면접 ²인터뷰　동 ¹면접을 보다 ²인터뷰를 하다

He was late for the job **interview**.
그는 취업 면접에 늦었다.

I'm a school reporter. Can I **interview** you?
저는 학교 기자입니다. 제가 당신을 인터뷰해도 될까요?

693

course

[kɔːrs]

명 ¹강의, 강좌 ²(배 · 비행기의) 항로

I took a **course** in history.　나는 역사 강의를 들었다.
The plane changed **course** to the North.
비행기는 북쪽으로 항로를 변경했다.

694

receive

[risíːv]

동 받다

She **received** the Nobel Peace Prize in 2014.
그녀는 2014년에 노벨 평화상을 받았다.

695

teenage

[tíːnèidʒ]

형 십 대의

Sora is a **teenage** girl.
소라는 십 대 소녀이다.

696

teenager

[tíːnèidʒər]

명 십 대

Many **teenagers** want to get better grades.
많은 십 대들은 더 좋은 성적을 받기 원한다.

697

purple

[pə́ːrpl]

명 자주색, 보라색　형 자줏빛의

This is my favorite **purple** T-shirt.
이것은 내가 가장 좋아하는 자주색 티셔츠이다.

698

neighbor

[néibər]

명 이웃

My new **neighbor** is very friendly.
나의 새 이웃은 매우 상냥하다.

699

president

[prézədənt]

명 ¹대통령 ²회장

Abraham Lincoln was the 16th **president** of the U.S.
에이브러햄 링컨은 미국의 16대 대통령이었다.

700

speech

[spiːtʃ]

명 연설

The president is going to give a **speech** tomorrow.
대통령은 내일 연설을 할 것이다.

바로 테스트

< Way to go!

정답 198쪽

영어는 우리말로, 우리말은 영어로 쓰세요.

01	safe	11	안전
02	speech	12	자주색; 자줏빛의
03	complete	13	십 대의
04	die	14	죽은
05	sentence	15	미끄러운, 미끈거리는
06	receive	16	대통령; 회장
07	rope	17	플라스틱(으로 된)
08	tie	18	한 쌍[켤레]
09	teenager	19	이웃
10	course	20	면접(을 보다); 인터뷰(를 하다)

함께 외우는 어휘 쌍

우리말을 보고 알맞은 단어를 쓰세요.

21		안전한	—		안전
22		십 대의	—		십 대
23		죽다	—		죽은

Idioms in Use   DAY 31-35

DAY 31 604

a lot of

많은

Do you eat **a lot of** vegetables?
너는 채소를 많이 먹니?

DAY 31 605

be full of

¹~로 가득하다 ²~이 풍부하다

New York **is** always **full of** people.
뉴욕은 항상 사람들로 가득하다.

Carrots **are full of** vitamin A.
당근은 비타민 A가 풍부하다.

DAY 31 613

each other

서로

Junha and I live next door to **each other**.
준하와 나는 서로 이웃에 산다.

DAY 33 649

make a mistake

실수하다

I **made a** serious **mistake**.
나는 심각한 실수를 저질렀다.

DAY 34 664

protect ~ from ...

~을 …로부터 보호하다

It is important to **protect** your skin **from** the sun.
태양으로부터 여러분의 피부를 보호하는 것이 중요합니다.

Spelling Puzzle

■ Unscramble the words.

1 PUJM (뛰다, 점프하다)

16	10		

2 LATYHEH (건강한)

		14			23	

3 HOTRHUG (~을 통과하여)

7			9		1	

4 WHONOMET (고향)

8				19		20	

5 RIPSYPEL (미끄러운)

18		6		12			

6 DRIPSETEN (대통령; 회장)

			22	21				11

7 ODNRWE (경탄, 경이)

5	2				

8 FOLCLRUO (다채로운)

			13			17	

9 ELGAUNGA (언어)

4		15			3		

A												A
	1	2	3	4	5	6	7	8	9	10	11	

				IS					A				.
12	13	14	15		16	17	18	19		20	21	22	23

DAY 36

701

blank
[blæŋk]

형 (글자가 없는) 빈 명 빈칸, 여백

Write your name in the **blank** space below.
아래 빈 공간에 당신의 이름을 쓰시오.

Fill in the **blanks**.
빈칸을 채우시오.

702

blanket
[blǽŋkit]

명 담요

Don't forget to pack your **blanket**. It'll be cold there.
담요 챙기는 것을 잊지 마. 거긴 추울 거야.

703

hall
[hɔːl]

명 ¹복도 ²홀, 회관

Just go down the **hall** and turn left.
복도를 지나서 왼쪽으로 도세요.

a concert **hall** 콘서트 홀, 연주회장

704

news
[njuːz]

명 ¹소식 ²(신문 · 방송의) 뉴스

The next day, Julie told him good **news**.
다음 날, Julie는 그에게 좋은 소식을 알렸다.

705

surprise
[sərpráiz]

명 ¹놀라운[뜻밖의] 일[소식] ²놀라움 동 놀라게 하다

Their visit was a great **surprise** to me.
그들의 방문은 내게 정말 뜻밖의 일이었다.

Her work of art **surprised** her friends.
그녀의 예술 작품은 친구들을 놀라게 했다.

706

surprised
[sərpráizd]

형 놀란, 놀라는

Everyone was very **surprised** at the news.
모든 사람은 그 소식에 매우 놀랐다.

707

enemy

[énəmi]

명 적

They are fighting with their **enemy**.
그들은 그들의 적과 싸우고 있다.

708

reach

[ri:tʃ]

동 ¹이르다, 도착[도달]하다 ²(손이) 닿다

We finally **reached** the beach after three hours.
3시간 후에 우리는 마침내 해변에 도착했다.
I can't **reach** the top of the shelf.
나는 선반 꼭대기에 손이 닿지 않는다.

709

float

[flout]

동 ¹(물 위에·공중에서) 떠가다, 떠돌다 ²(가라앉지 않고) 뜨다

A boat is **floating** on the sea.
배 한 척이 바다 위를 떠다니고 있다.
Ice **floats** on water.
얼음은 물 위에 뜬다.

710

sink

[siŋk]
sank – sunk

동 가라앉다

Lots of cities on the seaside will **sink** under water.
바닷가에 있는 많은 도시들이 물 아래로 가라앉을 것이다.

711

count

[kaunt]

동 ¹(수를) 세다 ²총 수를 세다, 계산하다

Close your eyes and **count** from 1 to 10.
눈을 감고 1부터 10까지 세어라.

712

foreign

[fɔ́:rən]

형 외국의

How about learning a **foreign** language?
외국어를 배워보는 게 어떠니?

713

foreigner

[fɔ́:rənər]

명 외국인

Many **foreigners** visit Korea every year.
매년 많은 외국인이 한국을 방문한다.

714

else
[els]

|부| 또[그 밖의] 다른

Where **else** do you want to go?
너는 그 밖에 또 어디에 가고 싶니?

715

later
[léitər]

|부| 나중에

I'll call you **later**.
내가 나중에 네게 전화할게.

716

lift
[lift]

|동| (위로) 들어 올리다

Daisy **lifted** her arm to wave.
Daisy는 손을 흔들기 위해 팔을 들어 올렸다.

717

roll
[roul]

|동| 구르다, 굴리다

The rock **rolled** down the mountain.
바위가 산에서 굴러 내려왔다.

718

trouble
[trʌ́bl]

|명| 문제, 어려움

I had some **trouble** with my best friend.
나는 가장 친한 친구와 문제가 좀 있었다.

719

advice
[ədváis]

|명| 충고, 조언

Just follow the doctor's **advice**.
그냥 의사의 충고를 따르도록 해.
a piece of **advice** 충고 한 마디

720

opinion
[əpínjən]

|명| 의견, 견해, 생각

We shared our **opinions** about the book.
우리는 그 책에 대한 우리의 의견을 공유했다.
In my **opinion**, the movie was terrible.
내 생각에, 그 영화는 형편없었다.

영어는 우리말로, 우리말은 영어로 쓰세요.

01	lift	**11**	놀란, 놀라는
02	else	**12**	충고, 조언
03	foreign	**13**	적
04	sink	**14**	빈; 빈칸, 여백
05	news	**15**	이르다, 도착하다; 닿다
06	surprise	**16**	복도; 홀, 회관
07	roll	**17**	(물 위에) 떠가다; 뜨다
08	blanket	**18**	외국인
09	later	**19**	(수를) 세다; 계산하다
10	trouble	**20**	의견, 견해, 생각

▲ 함께 외우는 어휘 쌍

우리말을 보고 알맞은 단어를 쓰세요.

21		뜨다	—	가라앉다
22		외국의	—	외국인
23		놀라운 일; 놀라움	—	놀란, 놀라는

DAY 37

721

tongue

[tʌŋ]

몡 ¹혀 ²언어

The doctor asked me to stick out my **tongue**.
의사는 나에게 혀를 내밀어 보라고 말했다.

the mother **tongue** 모국어

722

shoulder

[ʃóuldər]

몡 어깨

She put her arm around my **shoulder**.
그녀는 내 어깨에 팔을 둘렀다.

723

vase

[veis]

몡 꽃병

The flowers in the **vase** are pretty.
꽃병 속의 꽃들이 예쁘다.

724

angry

[ǽŋgri]

혱 화가 난

Please don't be **angry** with me.
내게 화내지 말아줘.

725

desert

[dézərt]

몡 사막

Sand foxes live in the **desert**.
사막 여우는 사막에 산다.

726

dessert

[dizə́ːrt]

몡 디저트, 후식

Would you like some **dessert**? 후식을 좀 먹겠니?
My favorite **dessert** is ice cream.
내가 가장 좋아하는 디저트는 아이스크림이다.

727

serve

[səːrv]

동 ¹(음식을) 제공하다 ²(서비스를) 제공하다

The Italian restaurant **serves** great food.
그 이탈리아 음식점은 훌륭한 음식을 제공한다.

728

set

[set]

set – set

동 ¹놓다 ²(시계 등을) 맞추다 명 세트, 한 조

He **set** the vase on his desk.
그는 그의 책상 위에 꽃병을 놓았다.

You should **set** your alarm.
넌 알람시계를 맞춰야 한다.

729

ready

[rédi]

형 준비가 된

Dinner's **ready**. 저녁 식사가 준비되었다.

730

throat

[θrout]

명 목구멍, 목

My **throat** feels funny. 내 목이 간질간질하다.
have a sore **throat** 목이 아프다

731

cough

[kɔːf]

동 기침하다 명 기침

The child has a bad cold and **coughs** a lot.
그 아이는 심한 감기에 걸려서 기침을 많이 한다.
have a bad **cough** 기침을 심하게 하다

732

stomach

[stʌ́mək]

명 배, 복부, 위

My **stomach** hurts a lot.
나는 배가 많이 아프다.

733

stomachache

[stʌ́məkèik]

명 복통, 위통

I have a **stomachache**. I ate too much last night.
나는 배가 아프다. 나는 어젯밤에 너무 많이 먹었다.

734

cause
[kɔːz]

동 원인이 되다, ~을 일으키다   명 원인

Plastic in the ocean often **causes** serious problems.
바닷속의 플라스틱은 종종 심각한 문제들을 일으킨다.

735

result
[rizʌ́lt]

명 결과

I'm worried about the test **results**.
나는 시험 결과가 걱정된다.

as a **result**   그 결과

736

shower
[ʃáuər]

명 ¹샤워(기) ²소나기

Why don't you take a warm **shower**?
따뜻한 물에 샤워를 하는 것이 어때?

a heavy **shower**   강한 소나기

737

star
[stɑːr]

명 ¹별 ²(배우·운동선수 등) 스타

Stars filled the sky.   별들이 하늘을 가득 채웠다.
He's a new **star** player.   그는 새로운 스타 선수이다.

738

event
[ivént]

명 ¹(중요한) 사건[일] ²행사

What was the happiest **event** of this year?
올해 가장 행복했던 일은 무엇이었니?

739

wise
[waiz]

형 현명한, 지혜로운

My grandma is **wise**, so I often ask her for advice.
우리 할머니는 현명하셔서, 나는 종종 할머니께 조언을 구한다.

740

blind
[blaind]

형 눈이 먼, 맹인인

Guide dogs help **blind** people.
안내견은 시각장애인을 돕는다.

영어는 우리말로, 우리말은 영어로 쓰세요.

01	star	11	어깨
02	angry	12	혀
03	event	13	목구멍, 목
04	vase	14	눈이 먼, 맹인인
05	dessert	15	사막
06	stomach	16	기침(하다)
07	ready	17	복통, 위통
08	cause	18	현명한, 지혜로운
09	set	19	결과
10	shower	20	(음식 · 서비스를) 제공하다

우리말을 보고 알맞은 단어를 쓰세요.

21		배, 복부, 위	—		복통, 위통
22		원인	—		결과
23		사막	—		디저트, 후식

DAY 38

741

camp
[kæmp]

명 캠프, 야영지   동 야영하다

How long was the **camp**? 캠프는 며칠 동안이었니?
go **camping** 캠핑을 가다

742

manager
[mǽnidʒər]

명 운영자, 관리자

The reporter interviewed the park **manager**.
그 기자는 공원 관리인을 인터뷰했다.

743

nobody
[nóubàdi]

대 아무도 ~않다

There was **nobody** in the classroom.
교실에는 아무도 없었다.

744

comic
[kámik]

형 코미디의, 희극의   명 (-s) 만화책

Charlie Chaplin was a famous **comic** film actor.
찰리 채플린은 유명한 코미디 영화배우였다.

745

action
[ǽkʃən]

명 ¹행동, 조치 ²행위 ³액션

We must take **action** right now.
우리는 지금 당장 조치를 취해야 한다.
I saw an **action** movie at the theater.
나는 극장에서 액션 영화를 봤다.

746

activity
[æktívəti]

명 (취미 등을 위한) 활동

You can enjoy many fun **activities** in this park.
여러분은 이 공원에서 많은 재미있는 활동을 즐길 수 있습니다.

747
court
[kɔːrt]

명 ¹(테니스·배구 등의) 경기장, 코트 ²법정, 법원

There is a star basketball player on the **court**.
농구 코트에 스타 농구 선수가 있다.

748
team
[tiːm]

명 팀, 단체

Which **team** will win the game?
어느 팀이 경기에서 이길까?

749
role
[roul]

명 ¹역할, 임무 ²(배우의) 역할, 배역

The new player will play an important **role** on our team.
새로운 선수는 우리 팀에서 중요한 역할을 할 것이다.

What's your **role** in the play?
연극에서 네 역할은 뭐니?

750
correct
[kərékt]

형 옳은, 정확한 동 (잘못 등을) 바로잡다

Is this a **correct** answer? 이게 정답이니?
correct mistakes 실수를 바로잡다

751
false
[fɔːls]

형 ¹틀린, 거짓의 ²가짜의, 인조의

The rumor turned out to be **false**. 그 소문은 거짓으로 드러났다.
false teeth 의치

752
gas
[gæs]

명 ¹기체 ²(난방·조리용) 가스

Helium is a very light **gas**. 헬륨은 매우 가벼운 기체이다.
Turn off the **gas**, will you? 가스를 꺼 줘, 그래 주겠니?

753
tool
[tuːl]

명 ¹도구, 연장 ²도구[수단]

The store sells many **tools** for farmers.
그 가게는 농부들을 위한 많은 연장을 판매한다.

SNS is a useful **tool** for sharing opinions.
SNS는 의견을 공유하는 데 유용한 도구이다.

754

total

[tóutl]

형 총, 전체의 명 합계, 총액

How much is the **total** cost of the tour?
그 여행의 총 경비는 얼마인가요?
The **total** is 100 dollars. 총액은 100달러입니다.

755

fashion

[fǽʃən]

명 ¹유행, 인기 ²패션, 의류업

Long skirts are in **fashion**. 긴 치마가 유행이다.
We are planning to do a **fashion** show.
우리는 패션 쇼를 할 예정이다.

756

model

[mάdl]

명 ¹모형 ²모델

I bought a **model** airplane. 나는 모형 비행기를 샀다.
a fashion **model** 패션 모델

757

jacket

[dʒǽkit]

명 재킷, 상의

I packed a T-shirt, shorts, and a **jacket**.
나는 티셔츠, 반바지, 그리고 재킷을 챙겼다.

758

topic

[tάpik]

명 주제, 화제

Today's **topic** is your health.
오늘의 주제는 당신의 건강입니다.

759

view

[vju:]

명 ¹경관, 전망 ²의견, 견해 동 (세심하게) 보다

We enjoyed the **view** of the city from the top.
우리는 정상에서 도시의 경관을 즐겼다.
What's your **view** on this topic?
이 주제에 대한 당신의 의견은 어떻습니까?

760

review

[rivjú:]

명 ¹비평, 논평 ²복습 동 ¹복습하다 ²~을 다시 보다

He likes posting book **reviews** on his blog.
그는 자신의 블로그에 서평을 게시하는 것을 좋아한다.
You should **review** your notes first.
너는 우선 네 공책을 복습해야 한다.

영어는 우리말로, 우리말은 영어로 쓰세요.

01	correct	11	캠프; 야영하다
02	action	12	(취미 등을 위한) 활동
03	view	13	팀, 단체
04	jacket	14	틀린, 거짓의; 가짜의
05	model	15	역할, 임무; 배역
06	total	16	도구, 연장; 수단
07	gas	17	주제, 화제
08	court	18	비평, 논평; 복습(하다)
09	nobody	19	유행; 패션
10	manager	20	코미디의, 희극의; 만화책

▲ **함께 외우는 어휘 쌍**

우리말을 보고 알맞은 단어를 쓰세요.

21		옳은, 정확한	—		틀린, 거짓의
22		행동, 조치; 행위	—		활동
23		(세심하게) 보다	—		~을 다시 보다

DAY 39

761

half

[hæf]

복 **halves**

명 반, 절반　형 반[절반]의

We will save **half** of the money.
우리는 그 돈의 절반을 저축할 것이다.

half an hour　30분

762

tear

[tiər]

명 눈물, 울음

Her eyes were full of **tears**.
그녀의 눈은 눈물로 가득 차 있었다.

763

noise

[nɔiz]

명 (듣기 싫은·시끄러운) 소리, 소음

We heard a loud **noise** outside.
우리는 밖에서 나는 시끄러운 소리를 들었다.

764

noisy

[nɔ́izi]

형 시끄러운, 떠들썩한

I couldn't sleep because of the **noisy** neighbors.
나는 시끄러운 이웃들 때문에 잠을 잘 수 없었다.

765

simple

[símpl]

형 간단한, 단순한

Here's a **simple** recipe for apple pie.
여기 애플 파이를 만드는 간단한 조리법이 있다.

766

snack

[snæk]

명 간식, 간단한 식사

There are delicious **snacks** like *tteokbokki* and *gimbap*.
떡볶이와 김밥과 같은 맛있는 간식들이 있다.

767

lonely
[lóunli]

형 외로운, 쓸쓸한

The boy had no friends, and he was **lonely**.
그 소년은 친구가 없었고 외로웠다.

768

text
[tekst]

명 본문 동 (휴대 전화로) 문자를 보내다

Read the **text**. 본문을 읽으시오.
She is **texting** her friend back.
그녀는 친구에게 답 문자를 보내고 있다.

769

message
[mésidʒ]

명 ¹메시지, 전언 ²메일, 문자

Would you like to leave a **message**?
메시지를 남겨드릴까요?

Ding-dong! She has a text **message**.
딩동! 그녀는 문자 메시지를 받는다.

770

machine
[məʃíːn]

명 기계

Can I use this copy **machine**?
제가 이 복사기를 사용해도 되나요?

771

ticket
[tíkit]

명 표, 티켓

Why don't you buy him a concert **ticket**?
그에게 콘서트 티켓을 사주는 것이 어떠니?

772

toilet
[tɔ́ilit]

명 변기, 화장실

I need to go to the **toilet**.
저는 화장실이 가고 싶어요.

773

garbage
[gáːrbidʒ]

명 ¹쓰레기 ²쓰레기통

Can you take out the **garbage** when you leave?
나갈 때 쓰레기를 내놓아 줄 수 있니?

774

sharp
[ʃɑːrp]

형 날카로운

The knife is very **sharp**.
그 칼은 매우 날카롭다.

775

weigh
[wei]

동 ^{1}무게[체중]가 ~이다 ^{2}무게[체중]를 달다

The dog **weighs** about 10kg.
그 개는 무게가 약 10kg이다.

He **weighed** the bananas before buying them.
그는 사기 전에 바나나의 무게를 달았다.

776

weight
[weit]

명 무게, 체중

If you want to lose **weight**, don't eat too much.
당신이 체중을 줄이기 원한다면, 너무 많이 먹지 마라.

777

magic
[mǽdʒik]

명 마법, 마술   형 마법[마술]의

In the story, she uses **magic** to turn the prince into the beast.
이야기 속에서, 그녀는 왕자를 야수로 바꾸기 위해 마법을 사용한다.

a **magic** trick   마술[요술]

778

main
[mein]

형 주요한, 주된

The actor played the **main** character in the film.
그 배우는 그 영화에서 주연을 맡았다.

779

market
[mɑ́ːrkit]

명 시장

There is a good fish **market** in Sokcho.
속초에는 훌륭한 수산 시장이 있다.

780

promise
[prámis]

동 약속하다   명 약속

I **promise** that I won't be late again.
나는 다시는 지각하지 않겠다고 약속할게.

keep[break] a **promise**   약속을 지키다[어기다]

영어는 우리말로, 우리말은 영어로 쓰세요.

01	noise	11		반, 절반; 반[절반]의
02	machine	12		눈물, 울음
03	market	13		시끄러운, 떠들썩한
04	weight	14		주요한, 주된
05	lonely	15		무게가 ~이다; 무게를 달다
06	sharp	16		간단한, 단순한
07	garbage	17		마법(의), 마술(의)
08	text	18		표, 티켓
09	toilet	19		메시지, 전언; 메일, 문자
10	promise	20		간식, 간단한 식사

▲ 함께 외우는 어휘 쌍

우리말을 보고 알맞은 단어를 쓰세요.

21		무게가 ~이다	—		무게
22		소음	—		시끄러운
23		메시지; 문자	—		문자를 보내다

DAY 40

781

lovely
[lʌ́vli]

형 사랑스러운, 예쁜

What a **lovely** baby! 정말 사랑스러운 아기구나!

782

wide
[waid]

형 ¹(폭이) 넓은 ²폭이 ~인 ³폭넓은, 다양한

The river is very **wide**. 그 강은 폭이 매우 넓다.
a **wide** choice of items 선택권이 다양한 상품들

783

thick
[θik]

형 ¹굵은, 두꺼운 ²울창한, 빽빽한

The girl is wearing a **thick** coat.
그 소녀는 두꺼운 코트를 입고 있다.
There was a **thick** forest around the lake.
호수 주변에 울창한 숲이 있었다.

784

thin
[θin]

형 ¹얇은, 가는 ²마른, 야윈

Cut the tomatoes into **thin** pieces. 토마토를 얇은 조각들로 썰어라.
My brother is tall and **thin**. 내 남동생은 키가 크고 말랐다.

785

sometimes
[sʌ́mtàimz]

부 가끔, 때때로

We **sometimes** go to a mountain or a beach.
우리는 때때로 산이나 해변으로 간다.

786

relax
[rilǽks]

동 ¹쉬다 ²안심[진정]하다

A lot of people **relax** or exercise in the park.
많은 사람이 공원에서 쉬거나 운동을 한다.
Relax! Everything will be all right.
진정해! 모든 것이 괜찮을 거야.

787

hiking
[háikiŋ]

명 하이킹, 도보여행

I went **hiking** on Mt. Seorak.
나는 설악산으로 하이킹을 갔다.

788

outdoor
[áutdɔ̀ːr]

형 야외의

What's your favorite **outdoor** activity?
네가 가장 좋아하는 야외 활동은 뭐니?

789

pilot
[páilət]

명 조종사, 비행사

I want to be a **pilot**.
나는 조종사가 되고 싶다.

790

worm
[wəːrm]

명 벌레

Birds eat small **worms**.
새들은 작은 벌레들을 먹는다.

791

stair
[stɛər]

명 (-s) 계단

The boy fell down the **stairs**. 그 소년은 계단에서 넘어졌다.
take the **stairs** 계단을 이용하다

792

flat
[flæt]

형 ¹평평한 ²납작한

In the past, people believed that the Earth was **flat**.
과거에, 사람들은 지구가 평평하다고 믿었다.

793

style
[stail]

명 ¹방식 ²(옷 등의) 스타일

Teachers have different teaching **styles**.
교사들은 서로 다른 교육 방식이 있다.
Are you happy with your new hair **style**?
너는 네 새로운 머리 스타일이 마음에 드니?

794

soil

[sɔil]

명 흙, 토양

I planted some potatoes in **soil**.
나는 흙에 감자를 좀 심었다.

795

sunlight

[sʌ́nlàit]

명 햇빛

The **sunlight** is very strong in the summer.
여름에는 햇빛이 매우 강하다.

796

sunglasses

[sʌ́nglæ̀siz]

명 선글라스, 색안경

It's very sunny and hot. You'll need **sunglasses**.
날씨가 매우 화창하고 더워. 너는 선글라스가 필요할 거야.

797

energy

[énərdʒi]

명 ¹힘, 기운 ²(석유 · 전기 등의) 에너지

She spent all her time and **energy** on her business.
그녀는 그녀의 모든 시간과 에너지를 사업에 쏟아부었다.

solar **energy** 태양 에너지

798

refrigerator

[rifrídʒərèitər]

명 냉장고

I keep lots of food in the **refrigerator**.
나는 냉장고에 많은 음식을 보관한다.

799

freeze

[fri:z]

froze – frozen

동 얼다, 얼리다

The ocean doesn't **freeze** easily because it has salt.
바다는 소금이 있어서 쉽게 얼지 않는다.

800

melt

[melt]

동 녹다, 녹이다

The ice is **melting**. 얼음이 녹고 있다.

< **Way to go!**

정답 200쪽

영어는 우리말로, 우리말은 영어로 쓰세요.

01	thin	11	사랑스러운, 예쁜
02	sunlight	12	계단
03	melt	13	굵은, 두꺼운; 울창한
04	hiking	14	얼다, 얼리다
05	wide	15	흙, 토양
06	pilot	16	평평한; 납작한
07	style	17	가끔, 때때로
08	relax	18	선글라스, 색안경
09	worm	19	냉장고
10	energy	20	야외의

함께 외우는 어휘 쌍

우리말을 보고 알맞은 단어를 쓰세요.

21		햇빛	—		선글라스, 색안경
22		굵은, 두꺼운	—		얇은, 가는
23		얼다, 얼리다	—		녹다, 녹이다

Idioms in Use DAY 36-40

DAY 36 706

be surprised at

~에 놀라다

You will **be surprised at** the great size of the palace.
당신은 그 궁전의 거대한 규모에 놀랄 것이다.

DAY 36 718

be in trouble

어려움에 처하다

She **was in trouble** because she had no money.
그녀는 돈이 없어서 어려움에 처했다.

DAY 37 729

be ready for

~할 준비가 되다

All the students **are ready for** the school trip.
모든 학생들이 학교 소풍을 갈 준비가 되었다.

DAY 39 763

make noise

시끄럽게 하다

We must not **make noise** during class.
우리는 수업시간에 시끄럽게 해서는 안 된다.

DAY 40 787

go hiking

도보여행을 하다

We're going to **go hiking** and see beautiful trees.
우리는 도보여행을 가서 아름다운 나무들을 볼 것이다.

Crossword Puzzle

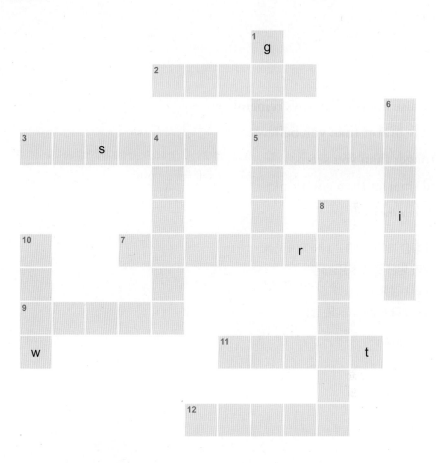

⊙ ACROSS

2 쉬다; 안심[진정]하다
3 결과
5 눈이 먼, 맹인인
7 디저트, 후식
9 적
11 (물 위에 · 공중에서) 떠가다; 뜨다
12 무게가 ~이다; 무게를 달다

⊙ DOWN

1 쓰레기; 쓰레기통
4 사랑스러운, 예쁜
6 충고, 조언
8 배, 복부, 위
10 경관, 전망; 의견, 견해;
　　(세심하게) 보다

Promise me you'll always remember:
You're braver than you believe,
stronger than you seem,
and smarter than you think.

– *Winnie the Pooh*

이걸 항상 기억하겠다고 나와 약속해줘.
넌 네가 믿는 것보다 용감하며,
보기보다 강하고,
네 생각보다 더 똑똑하다는 걸.

ANSWERS

ANSWERS

p. 13

DAY 01 바로 테스트

01 행동하다; 연기하다
02 ~한 냄새가 나다; 냄새를 맡다; 냄새, 향
03 틀린, 잘못된; 문제가 있는
04 과거, 지난날; 과거의, 지나간
05 (앞부분에 챙이 달린) 모자
06 잡다, 받다; (병에) 걸리다
07 가져오다, 데려오다
08 놀다; (경기 등을) 하다; (악기 등을) 연주하다
09 여행하다; 여행
10 ~ 동안[내내]
11 actor
12 future
13 favorite
14 plan
15 like
16 taste
17 enough
18 right
19 baseball
20 throw

함께 외우는 어휘 쌍

21 act – actor
22 wrong – right
23 past – future
24 throw – catch

p. 17

DAY 02 바로 테스트

01 (기간이 짧은) 여행
02 ~이 되다; ~(해)지다
03 즐기다, 즐거워하다
04 주, 일주일
05 저녁 식사
06 맛있는
07 시작하다; 시작
08 (위험에서) 구하다; (돈을) 저축하다; 절약하다, 아끼다
09 끝내다, 마치다
10 또 하나의; 다른; 또 하나의 것[사람]
11 welcome
12 breakfast
13 cook
14 earth
15 waste
16 drink
17 weekend
18 visit
19 find
20 want

함께 외우는 어휘 쌍

21 breakfast – dinner
22 week – weekend
23 start – finish
24 save – waste

p. 21

DAY 03 바로 테스트

01 같은
02 떨어지다, 떨어뜨리다; 방울
03 병; 한 병(의 양)
04 유명한
05 신선한, 갓 딴[만든]
06 (연필 등으로) 그리다
07 물; 물을 주다
08 과일
09 꿈; 꿈을 꾸다
10 농장
11 farmer
12 hold
13 different
14 behind
15 carry
16 exercise
17 introduce
18 important
19 drawing
20 because

함께 외우는 어휘 쌍

21 draw – drawing
22 same – different
23 farm – farmer

p. 25

DAY 04 바로 테스트

01 치다, 때리다
02 예쁜; 꽤, 상당히
03 과학
04 앞에[앞으로]
05 고치다, 수리하다
06 장소, 곳; 두다, 놓다
07 ~을 따라
11 know
12 warm
13 join
14 library
15 move
16 watch
17 scientist

08 추측하다, 짐작하다;
　　추측, 짐작
09 빛; (전깃불, 전등; 가벼운
10 서늘한, 시원한; 멋진

18 ugly
19 turn
20 heavy

DAY 06 바로 테스트　　　　p. 35

01 접시; 요리, 음식
02 예술; 미술
03 혼자인; 외로운; 혼자
04 (출발지) ~에서(부터);
　　(시작 시각) ~부터;
　　~ 출신의
05 시작하다, 시작되다
06 멀리; 먼
07 고르다, 선택하다;
　　(과일 등을) 따다,
　　(꽃을) 꺾다
08 도시
09 보다; 알다, 이해하다
10 회사

11 heart
12 country
13 artist
14 together
15 across
16 meat
17 vegetable
18 end
19 diary
20 near

■ 함께 외우는 어휘 쌍

21 science – scientist
22 cool – warm
23 heavy – light
24 pretty – ugly

■ 함께 외우는 어휘 쌍

21 art – artist
22 begin – end
23 alone – together
24 near – far

DAY 05 바로 테스트　　　　p. 29

01 ~ 후에; ~한 후에
02 동물
03 귀여운, 예쁜
04 대답하다; 대답, 답
05 어제
06 서다, 서 있다
07 길; 방법, 방식
08 휴식; 나머지; 쉬다, 휴식
　　하다
09 동의하다
10 묻다; 부탁하다, 요청하다

11 sit
12 before
13 tomorrow
14 question
15 again
16 plant
17 age
18 work
19 floor
20 about

■ 함께 외우는 어휘 쌍

21 sit – stand
22 question – answer
23 before – after
24 animal – plant

DAY 07 바로 테스트　　　　p. 39

01 종종, 자주
02 유리; 한 잔(의) 양;
　　안경
03 보다; ~하게 보이다
04 음식, 식량
05 떨어지다; 넘어지다,
　　쓰러지다; 가을
06 어려운; 단단한, 딱딱한;
　　열심히
07 (상태 등을) 유지하다;
　　~을 계속하다
08 잊다
09 필요하다; ~해야 하다; 필요
10 열기, 열; 더위; 가열하다, 데우다

11 eat
12 seafood
13 help
14 put
15 cold
16 remember
17 hungry
18 soft
19 restaurant
20 sound

DAY 01-05 Spelling Puzzle　　　　p. 31

01 actor
03 plant
05 exercise
07 library

02 heavy
04 waste
06 behind
08 smell

ANSWERS

함께 외우는 어휘 쌍

21 heat – cold
22 food – seafood
23 forget – remember
24 hard – soft

05 ~ 주위에; 약, ~쯤
06 사다, 구입하다
07 가족
08 부유한, 부자인; ~이 풍부한
09 마을
10 생각, 의견, 발상

15 sell
16 feel
17 busy
18 miss
19 bakery
20 poor

함께 외우는 어휘 쌍

21 bake – bakery
22 buy – sell
23 rich – poor
24 parent – grandparent

DAY 08 바로 테스트
p. 43

01 시험
02 걱정하다; 걱정, 고민 거리
03 (책·영화 등에 나오는) 대화
04 교실, 강의실
05 가르치다
06 어려운
07 수, 숫자; 번호
08 배우다, 익히다
09 학생
10 수업; 교훈

11 hobby
12 show
13 school
14 problem
15 easy
16 picture
17 teacher
18 homework
19 classmate
20 study

함께 외우는 어휘 쌍

21 teach – learn
22 teacher – student
23 easy – difficult
24 classroom – classmate

DAY 10 바로 테스트
p. 51

01 깨끗한; 청소하다, (깨끗이) 닦다
02 입고[신고/쓰고] 있다
03 (자격·기능 등이) ~로서; ~하는 동안에; ~이기 때문에
04 것, 물건; 일
05 의사
06 기쁜, 반가운
07 사람, 개인
08 몇몇의, 약간의; 몇몇, 약간
09 ~ 위에[위로]; ~이 넘는, ~ 이상의; 너머, 건너
10 아픈, 병든

11 hospital
12 job
13 decide
14 nurse
15 dirty
16 upset
17 people
18 air
19 top
20 under

함께 외우는 어휘 쌍

21 person – people
22 clean – dirty
23 glad – upset
24 over – under

DAY 09 바로 테스트
p. 47

01 빵
02 부모
03 박물관, 미술관
04 (빵 등을) 굽다

11 cousin
12 grandparent
13 fine
14 money

DAY 06-10 Word Puzzle
p. 53

H	M	C	S	N	E	T	F	O	L	V	C
L	P	Q	P	I	Y	B	B	O	H	K	O
I	P	C	M	P	M	O	Y	T	N	R	U
D	B	A	K	E	R	Y	N	I	A	X	N
Q	P	W	W	G	L	F	H	G	E	W	T
E	H	H	O	S	P	I	T	A	L	G	R
X	P	Z	R	D	E	E	H	X	C	D	Y
A	I	C	R	M	M	X	W	Q	T	X	Z
M	X	G	Y	A	X	P	A	R	E	N	T
M	K	R	E	L	B	A	T	E	G	E	V
X	R	D	O	O	F	A	E	S	R	J	Z
N	O	F	F	L	O	R	N	J	O	D	C
B	C	A	Z	A	Q	B	W	Z	F	O	F

DAY 11 바로 테스트
p. 57

01 말하다
02 아이, 어린이; 자식
03 돌봄, 보살핌; 주의; 관심을 가지다, 신경 쓰다
04 주의 깊은, 신중한
05 산
06 모든; 전부, 모두
07 흐린, 구름이 잔뜩 낀
08 믿다
09 (여행) 안내인, 안내서; 안내하다
10 선택(권)

11 forest
12 arrive
13 afternoon
14 climb
15 field
16 adult
17 choose
18 cloud
19 beach
20 carefully

함께 외우는 어휘 쌍

21 child – adult
22 careful – carefully
23 choose – choice
24 cloud – cloudy

DAY 12 바로 테스트
p. 61

01 어두운
02 늦은, 지각한; 늦게
03 무리, 집단
04 똑똑한, 영리한
05 (~쪽으로) 오다
06 닫다; (거리가) 가까운; 친한
07 창문; (컴퓨터의) 창
08 하루, 날; 낮
09 아침, 오전
10 잘생긴

11 evening
12 kick
13 night
14 hurry
15 early
16 new
17 break
18 sorry
19 open
20 bright

함께 외우는 어휘 쌍

21 open – close
22 bright – dark
23 early – late
24 day – night

DAY 13 바로 테스트
p. 65

01 바라다, 원하다; 소원
02 정원, 뜰
03 영화
04 (소리 내어) 웃다; 웃음 (소리)
05 다음의; 그 다음에
06 지도
07 문화
08 친구, 벗
09 꽃
10 생일

11 bowl
12 grass
13 understand
14 flour
15 gift
16 celebrate
17 birth
18 cry
19 have
20 friendly

함께 외우는 어휘 쌍

21 laugh – cry
22 friend – friendly
23 birth – birthday

ANSWERS

p. 69

DAY 14 바로 테스트

01 친절한; 종류, 유형
02 (시간 단위의) 분; 잠깐
03 잃어버리다; (시합 등에서) 지다
04 (소리가) 큰, 시끄러운
05 공원; 주차하다
06 (규모가) 큰; (양이) 많은
07 이름, 성명
08 부끄러워하는, 수줍음이 많은
09 털, 머리(털)
10 대회, 시합
11 grow
12 wet
13 hour
14 line
15 quiet
16 fight
17 nickname
18 amusement park
19 wash
20 win

함께 외우는 어휘 쌍

21 minute – hour
22 win – lose
23 quiet – loud
24 name – nickname
25 park – amusement park

함께 외우는 어휘 쌍

21 rain – rainy
22 land – ocean
23 many – few
24 much – little

DAY 11-15 Spelling Puzzle

p. 75

01 SWIM
02 ARRIVE
03 FRIENDLY
04 UMBRELLA
05 CONTEST
06 CHOOSE
07 CELEBRATE
08 HANDSOME
09 MOUNTAIN

T	R	Y		T	O		BE	A		R	A	I	N	B	O	W
1	2	3		4	5					6	7	8	9	10	11	12

IN		S	O	M	E	O	N	E'S		C	L	O	U	D	.
		13	14	15	16	17	18	19		20	21	22	23	24	

DAY 15 바로 테스트

p. 73

01 바다; 대양
02 (수가) 많은
03 (귀 기울여) 듣다
04 노래하다
05 비, 빗물; 비가 오다
06 가지고 가다, 데리고 가다; (시간이) 걸리다
07 분명한; (날씨가) 맑은, 투명한; (말끔히) 치우다
08 강
09 (양이) 많은; 매우, 너무, 많이
10 음악
11 dance
12 weather
13 few
14 swim
15 land
16 umbrella
17 rainy
18 deep
19 snow
20 little

DAY 16 바로 테스트

p. 79

01 느린, 더딘; 느리게, 천천히
02 (얼마의 시간) 전에, 이전에
03 경주, 달리기; 경주하다
04 걷다; (동물을) 산책시키다; 걷기, 산책
05 가게, 상점
06 항상, 언제나
07 바위, 암석; 록 (음악)
08 또한, 게다가, ~도
09 이야기
10 말하다, 알리다
11 bookstore
12 add
13 sand
14 last
15 never
16 almost
17 run
18 customer
19 fast
20 talk

21 run – walk
22 fast – slow
23 store – bookstore
24 always – never

05 홈룸, 학급 전원이 모이는
   생활 지도 교실
06 딱[꼭]; 막, 방금; 그저,
   단지
07 사실
08 집, 주택
09 (높이가) 높은; (양·정도
   가) 많은, 높은; 높이
10 보내다, 발송하다

15 fly
16 low
17 write
18 table
19 sunny
20 letter

DAY 17 바로 테스트
p. 83

01 멈추다, 중단하다; 멈춤;
   정류장
02 변하다, 변화시키다;
   변화
03 자전거
04 (길이·거리가) 긴;
   (시간이) 오랜
05 쪽, 편; 측면
06 받다, 얻다; 가져 오다;
   도착하다
07 말하다, 이야기하다;
   (특정 언어를) 구사하다
08 약한, 힘이 없는
09 노력하다; 시도하다
10 앞면, 앞쪽; 앞쪽의

11 subway
12 ride
13 short
14 strong
15 drive
16 give
17 hang
18 call
19 back
20 enter

함께 외우는 어휘 쌍

21 front – back
22 long – short
23 strong – weak
24 get – give

함께 외우는 어휘 쌍

21 live – life
22 high – low
23 read – write
24 sun – sunny

DAY 19 바로 테스트
p. 91

01 구역, 블록; 막다, 차단
   하다
02 (잠을) 자다; 잠, 수면
03 회의, 만남
04 (~라고) 생각하다
05 역사
06 페인트, 물감; 페인트를
   칠하다; (물감으로) 그리다
07 떠나다, 출발하다; ~을
   두고 오다[가다]
08 바라다, 희망하다;
   바람, 희망
09 돌아가다[오다]; 돌려주다,
   반납하다; 돌아감[옴]
10 기다리다

11 sleepy
12 meet
13 paper
14 tall
15 borrow
16 smile
17 today
18 stay
19 corner
20 between

DAY 18 바로 테스트
p. 87

01 해, 태양; 햇볕, 햇빛
02 살다, 거주하다
03 읽다
04 피부

11 habit
12 home
13 life
14 thank

함께 외우는 어휘 쌍

21 borrow – return
22 sleep – sleepy
23 meet – meeting
24 stay – leave

ANSWERS

p. 95

DAY 20 바로 테스트

01 나이 든, 늙은; 나이가 ~인; 오래된, 낡은
02 쓰다, 사용하다; 사용, 이용
03 인간, 사람; 인간[사람]의
04 (돈을) 지불하다, 내다; 지불, 급여
05 참석[출석]한; 현재의; 선물; 현재
06 긴장되는, 초조한
07 땅, 지면
08 문, 출입문; (공항의) 탑승구
09 침착한, 차분한; 진정시키다
10 욕실, 화장실
11 fantastic
12 world
13 useful
14 holiday
15 invite
16 absent
17 young
18 sale
19 kitchen
20 prize

함께 외우는 어휘 쌍

21 use – useful
22 old – young
23 calm – nervous
24 present – absent

p. 97

DAY 16-20 Crossword Puzzle

p. 101

DAY 21 바로 테스트

01 골, 득점; 목표
02 비행기
03 종류, 유형; (문서의) 서식; 형성하다, 이루다
04 거리, 길
05 통과하다, 지나가다; 합격하다
06 달, 월, 개월
07 (테가 있는) 모자
08 끌다, (잡아)당기다
09 만지다; 감동시키다
10 (돈을) 쓰다; (시간을) 보내다
11 cross
12 bank
13 year
14 address
15 pocket
16 curious
17 airport
18 push
19 score
20 brush

함께 외우는 어휘 쌍

21 year – month
22 airport – airplane
23 push – pull
24 goal – score

p. 105

DAY 22 바로 테스트

01 베다; 자르다
02 (계속) 아프다; (계속적인) 아픔
03 서쪽; 서쪽의
04 북쪽; 북쪽의
05 열
06 용감한
07 칼
08 예, 사례, 보기
09 행운; 운(수)
10 날짜; 데이트
11 lucky
12 focus
13 headache
14 east
15 south
16 area
17 honest
18 lazy
19 lie
20 both

함께 외우는 어휘 쌍

21 east – west
22 south – north
23 luck – lucky
24 ache – headache

DAY 23 바로 테스트

p. 109

01	아들	11	nature
02	입	12	leaf
03	목소리, 음성	13	lake
04	옷감, 직물, 천	14	husband
05	유형, 종류	15	marry
06	(잠에서) 깨다, 깨우다	16	only
07	(비어 있는) 공간, 장소; 우주	17	daughter
		18	mind
08	몸, 신체	19	clothes
09	달	20	size
10	아내		

함께 외우는 어휘 쌍

21 husband – wife
22 daughter – son
23 cloth – clothes
24 body – mind

DAY 24 바로 테스트

p. 113

01	사냥하다; 사냥	11	tourist
02	꼬리	12	dolphin
03	야생의; (야생 상태의) 자연	13	wood
		14	stone
04	여행, 관광; 여행[관광]하다	15	hunter
		16	bone
05	재미, 즐거움; 재미있는	17	palace
06	건물	18	funny
07	여왕	19	picnic
08	벽; 담	20	build
09	정신 나간; 화가 난		
10	화장실		

함께 외우는 어휘 쌍

21 fun – funny
22 build – building
23 hunt – hunter
24 tour – tourist

DAY 25 바로 테스트

p. 117

01	규칙, 원칙	11	subject
02	특별한	12	still
03	경기, 시합; 성냥; 어울리다	13	practice
		14	firefighter
04	놀라운, 대단한	15	mirror
05	초보의, 초급의	16	strange
06	불, 화재	17	common
07	인기 있는	18	season
08	확신하는, 확실히 아는	19	adventure
09	위험	20	dangerous
10	(~의 뒤를) 따라가다 [오다]; (규칙 등을) 따르다, 지키다		

함께 외우는 어휘 쌍

21 fire – firefighter
22 danger – dangerous
23 special – common

DAY 21-25 Spelling Puzzle

p. 119

01	score	02	clothes
03	headache	04	cross
05	dolphin	06	lucky
07	firefighter	08	palace

DAY 26 바로 테스트

p. 123

01	섞이다, 섞다	11	theater
02	영화; 촬영하다, 찍다	12	sweet
03	~조차(도), 심지어	13	solve
04	가능한	14	below
05	쓰레기	15	step
06	(연극 · 영화 등의) 장면	16	finally

ANSWERS

07 (위치가) ~보다 위에 [위로]; 위에, 위로
08 전통, 관습
09 똑바로; 곧장; 곧은, 똑바른
10 마지막의, 최후의; 결승전; 기말 시험

17 huge
18 traditional
19 shake
20 volunteer

21 final – finally
22 above – below
23 tradition – traditional

05 안에, 안으로; ~ 안에; 안, 내부
06 아름다운
07 사회의, 사회적인
08 모든; (빈도) 매~, ~마다
09 (과거·미래의) 그때; 그 다음에; 그렇다면
10 한 부분[조각], 한 개

15 proud
16 outside
17 pour
18 beauty
19 recycle
20 everywhere

21 inside – outside
22 beauty – beautiful
23 every – everywhere

DAY 27 바로 테스트
p. 127

01 (값이) 싼
02 정보
03 주인, 소유자
04 디자인; 디자인하다, 설계하다
05 이, 치아
06 보고(서); 보고[신고]하다
07 외치다
08 표지판; 신호, 몸[손]짓; 서명하다
09 사실, 실제로
10 (사람들이) 모이다, 모으다; (정보 등을) 수집하다

11 hear
12 reporter
13 expensive
14 price
15 toothbrush
16 dentist
17 pet
18 soon
19 mean
20 own

21 report – reporter
22 own – owner
23 tooth – toothbrush
24 cheap – expensive

DAY 28 바로 테스트
p.131

01 밥, 쌀
02 차, 찻잎
03 보통, 대개
04 어쩌면, 아마

11 perfect
12 feed
13 order
14 character

DAY 29 바로 테스트
p. 135

01 연못
02 다른, 그 밖의; 다른 사람[것]
03 우편(물); (우편물을) 발송하다; (웹사이트에) 게시하다
04 (뾰족한) 끝; 조언; 팁, 봉사료
05 중심, 중앙; 종합 시설, 센터
06 용서하다; 양해를 구하다; 변명
07 원, 동그라미
08 둥근, 원형의
09 관심(사), 흥미, 호기심
10 만화 (영화)

11 poster
12 triangle
13 interesting
14 recipe
15 square
16 share
17 magazine
18 shape
19 island
20 happen

21 triangle – square
22 post – poster
23 interest – interesting

DAY 30 바로 테스트
p. 139

01 체육관
02 응원[환호]하다; 환호(성)
03 물품, 상품; (목록상의) 항목
04 방학, 휴가
05 전체의, 모든, 온전한; 전체
06 (강조) 아주, 정말, 실제로, 진짜로
07 (한 편의) 시
08 (특정한) 순간; 잠깐, 잠시
09 성적; 학년; 등급
10 신나는, 흥미진진한

11 uniform
12 stage
13 village
14 cheerful
15 station
16 let
17 part
18 express
19 festival
20 real

함께 외우는 어휘 쌍

21 part – whole
22 cheer – cheerful
23 real – really

DAY 31 바로 테스트
p. 145

01 많음, 다량, 다수
02 가득 찬; 배가 부른
03 재미없는, 지루한
04 훌륭한, 뛰어난
05 구멍; 구덩이
06 각각의, 각자의; 각각, 각자
07 막대기; 붙다, 붙이다; 찌르다, 찔리다
08 펭귄
09 양초
10 인사하다, 맞이[환영]하다

11 turtle
12 wave
13 bored
14 hometown
15 empty
16 language
17 clue
18 blow
19 without
20 terrible

함께 외우는 어휘 쌍

21 full – empty
22 excellent – terrible
23 bored – boring

DAY 26-30 Word Puzzle
p. 141

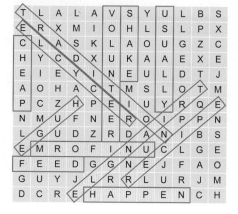

DAY 32 바로 테스트
p. 149

01 요리사, 주방장
02 공정한, 공평한; 박람회
03 발견하다
04 매운, 매콤한; 양념이 된
05 건강
06 창조하다, 만들다
07 들어 올리다, 들다; 키우다, 기르다; (자금 등을) 모으다
08 다치게 하다; 아프다
09 접시
10 문제, 일; 중요하다

11 meal
12 healthy
13 goat
14 tired
15 pot
16 list
17 suddenly
18 boil
19 hide
20 creative

함께 외우는 어휘 쌍

21 hide – discover
22 create – creative
23 health – healthy

ANSWERS

p. 153

DAY 33 바로 테스트

01	손톱, 발톱; 못	11	pack
02	비밀; 비밀의	12	toe
03	회원, 일원	13	already
04	배낭	14	seat
05	발명하다	15	through
06	심각한; 진지한	16	sport
07	수학	17	mistake
08	[부정문 · 의문문] 아직; [의문문] 이제, 지금쯤	18	invention
		19	inventor
09	기록; 음반; 기록하다; 녹음[녹화]하다	20	coach
10	수준, 단계; 높이		

함께 외우는 어휘 쌍

21 pack – backpack
22 already – yet
23 invent – invention

p. 157

DAY 34 바로 테스트

01	뛰다, 점프하다; 점프	11	knock
02	다채로운, 형형색색의	12	talent
03	~까지; ~할 때까지	13	director
04	한 번; (과거의) 한때	14	reason
05	거르다, 빼먹다	15	edit
06	(표면이) 거친; 대강의	16	someday
07	[긍정문] 무엇이든; [부정문 · 의문문] 아무 것도, 무언가	17	insect
		18	scary
08	사진	19	everything
09	아주 멋진, 신나는, 경이 로운	20	wonder
10	보호하다, 지키다		

함께 외우는 어휘 쌍

21 everything – anything
22 once – someday
23 wonder – wonderful

p. 161

DAY 35 바로 테스트

01	안전한	11	safety
02	연설	12	purple
03	완전한, 완벽한; 완료하 다, 끝마치다	13	teenage
		14	dead
04	죽다	15	slippery
05	문장	16	president
06	받다	17	plastic
07	밧줄	18	pair
08	(끈 등으로) 묶다, 묶어 놓다; 넥타이	19	neighbor
		20	interview
09	십 대		
10	강의, 강좌; (배 · 비행기의) 항로		

함께 외우는 어휘 쌍

21 safe – safety
22 teenage – teenager
23 die – dead

p. 163

DAY 31-35 Spelling Puzzle

01	JUMP	06	PRESIDENT
02	HEALTHY	07	WONDER
03	THROUGH	08	COLORFUL
04	HOMETOWN	09	LANGUAGE
05	SLIPPERY		

A	G	O	A	L		W	I	T	H	O	U	T		A
	1	2	3	4		5	6	7	8	9	10	11		

P	L	A	N		I	S		J	U	S	T		A		W	I	S	H	.
12	13	14	15		16	17		18	19						20	21	22	23	

DAY 36 바로 테스트

01 (위로) 들어 올리다
02 또[그 밖의] 다른
03 외국의
04 가라앉다
05 소식; (신문 · 방송의) 뉴스
06 놀라운[뜻밖의] 일[소식]; 놀라움; 놀라게 하다
07 구르다, 굴리다
08 담요
09 나중에
10 문제, 어려움

11 surprised
12 advice
13 enemy
14 blank
15 reach
16 hall
17 float
18 foreigner
19 count
20 opinion

함께 외우는 어휘 쌍

21 float – sink
22 foreign – foreigner
23 surprise – surprised

DAY 37 바로 테스트

p. 171

01 별; (배우 · 운동선수 등) 스타
02 화가 난
03 (중요한) 사건[일]; 행사
04 꽃병
05 디저트, 후식
06 배, 복부, 위
07 준비가 된
08 원인이 되다, ~을 일으키다; 원인
09 놓다; (시계 등을) 맞추다; 세트, 한 조
10 샤워(기); 소나기

11 shoulder
12 tongue
13 throat
14 blind
15 desert
16 cough
17 stomachache
18 wise
19 result
20 serve

함께 외우는 어휘 쌍

21 stomach – stomachache
22 cause – result
23 desert – dessert

DAY 38 바로 테스트

p. 175

01 옳은, 정확한; (잘못 등을) 바로잡다
02 행동, 조치; 행위; 액션
03 경관, 전망; 의견, 견해; (세심하게) 보다
04 재킷, 상의
05 모형; 모델
06 총, 전체의; 합계, 총액
07 기체; (난방 · 조리용) 가스
08 (테니스 · 배구 등의) 경기장, 코트; 법정, 법원
09 아무도 ~않다
10 운영자, 관리자

11 camp
12 activity
13 team
14 false
15 role
16 tool
17 topic
18 review
19 fashion
20 comic

함께 외우는 어휘 쌍

21 correct – false
22 action – activity
23 view – review

DAY 39 바로 테스트

p. 179

01 (듣기 싫은 · 시끄러운) 소리, 소음
02 기계
03 시장
04 무게, 체중
05 외로운, 쓸쓸한
06 날카로운
07 쓰레기; 쓰레기통
08 본문; (휴대 전화로) 문자를 보내다
09 변기, 화장실
10 약속하다; 약속

11 half
12 tear
13 noisy
14 main
15 weigh
16 simple
17 magic
18 ticket
19 message
20 snack

함께 외우는 어휘 쌍

21 weigh – weight
22 noise – noisy
23 message – text

ANSWERS

DAY 40 바로 테스트   p. 183

01 얇은, 가는; 마른, 야윈
02 햇빛
03 녹다, 녹이다
04 하이킹, 도보여행
05 (폭이) 넓은; 폭이 ~인; 폭넓은, 다양한
06 조종사, 비행사
07 방식; (옷 등의) 스타일
08 쉬다; 안심[진정]하다
09 벌레
10 힘, 기운; (석유 · 전기 등의) 에너지
11 lovely
12 stair
13 thick
14 freeze
15 soil
16 flat
17 sometimes
18 sunglasses
19 refrigerator
20 outdoor

함께 외우는 어휘 쌍

21 sunlight – sunglasses
22 thick – thin
23 freeze – melt

DAY 36-40 Crossword Puzzle   p. 185

INDEX

기억나지 않는 단어에 ☑️표를 하고 복습에 활용해 보세요.

INDEX

A

about	028
above	121
absent	093
ache	102
across	034
act	010
action	172
activity	172
actor	010
actually	125
add	077
address	099
adult	055
adventure	115
advice	166
after	027
afternoon	055
again	027
age	026
ago	076
agree	027
ahead	023
air	049
airplane	100
airport	100
all	054
almost	076
alone	033
along	023
already	150
also	078
always	076
amazing	115
amusement park	068
angry	168
animal	028
another	016
answer	028
anything	154
area	104

around	046
arrive	055
art	032
artist	032
as	049
ask	028

B

back	080
backpack	152
bake	046
bakery	046
bank	098
baseball	011
bathroom	094
beach	056
beautiful	129
beauty	129
because	020
become	016
before	027
begin	032
behind	019
believe	054
below	121
between	090
bicycle	081
birth	062
birthday	062
blank	164
blanket	164
blind	170
block	089
blow	144
body	107
boil	147
bone	112
bookstore	078
bored	143
boring	143
borrow	089

both	103
bottle	018
bowl	064
brave	104
bread	046
break	060
breakfast	015
bright	058
bring	011
brush	099
build	110
building	110
busy	044
buy	044

C

call	081
calm	094
camp	172
candle	144
cap	011
care	054
careful	054
carefully	054
carry	019
cartoon	134
catch	011
cause	170
celebrate	063
center	134
change	081
character	130
cheap	124
cheer	136
cheerful	136
chef	147
child	055
choice	056
choose	056
circle	133
city	034

☐ classmate 040
☐ classroom 040
☐ clean 049
☐ clear 072
☐ climb 055
☐ close 060
☐ cloth 107
☐ clothes 107
☐ cloud 056
☐ cloudy 056
☐ clue 144
☐ coach 152
☐ cold 037
☐ colorful 156
☐ come 059
☐ comic 172
☐ common 116
☐ company 034
☐ complete 158
☐ contest 067
☐ cook 014
☐ cool 024
☐ corner 090
☐ correct 173
☐ cough 169
☐ count 165
☐ country 034
☐ course 159
☐ court 173
☐ cousin 045
☐ create 146
☐ creative 146
☐ cross 098
☐ cry 062
☐ culture 063
☐ curious 100
☐ customer 078
☐ cut 102
☐ cute 028

D

☐ dance 070
☐ danger 114
☐ dangerous 114
☐ dark 058
☐ date 104
☐ daughter 106
☐ day 058
☐ dead 159
☐ decide 049
☐ deep 071
☐ delicious 014
☐ dentist 126
☐ desert 168
☐ design 124
☐ dessert 168
☐ dialogue 042
☐ diary 032
☐ die 159
☐ different 019
☐ difficult 042
☐ dinner 015
☐ director 156
☐ dirty 049
☐ discover 148
☐ dish 033
☐ doctor 048
☐ dolphin 112
☐ draw 020
☐ drawing 020
☐ dream 020
☐ drink 015
☐ drive 082
☐ drop 019
☐ during 011

E

☐ each 143
☐ early 059

☐ earth 016
☐ east 103
☐ easy 042
☐ eat 037
☐ edit 156
☐ elementary 116
☐ else 166
☐ empty 142
☐ end 032
☐ enemy 165
☐ energy 182
☐ enjoy 015
☐ enough 012
☐ enter 080
☐ even 122
☐ evening 059
☐ event 170
☐ every 130
☐ everything 154
☐ everywhere 130
☐ exam 042
☐ example 104
☐ excellent 143
☐ exciting 136
☐ excuse 133
☐ exercise 020
☐ expensive 124
☐ express 138

F

☐ fact 084
☐ fair 146
☐ fall 038
☐ false 173
☐ family 045
☐ famous 020
☐ fantastic 092
☐ far 034
☐ farm 018

INDEX

farmer	018	
fashion	174	
fast	077	
favorite	010	
feed	128	
feel	045	
festival	138	
fever	103	
few	071	
field	056	
fight	067	
film	122	
final	120	
finally	120	
find	016	
fine	045	
finish	015	
fire	114	
firefighter	114	
fix	022	
flat	181	
float	165	
floor	026	
flour	064	
flower	064	
fly	086	
focus	103	
follow	114	
food	037	
foreign	165	
foreigner	165	
forest	055	
forget	038	
form	100	
freeze	182	
fresh	018	
friend	063	
friendly	063	
from	034	
front	080	
fruit	018	

full	142
fun	111
funny	111
future	012

G

garbage	177
garden	064
gas	173
gate	094
gather	125
get	080
gift	063
give	080
glad	050
glass	036
goal	100
goat	148
grade	137
grandparent	045
grass	064
greet	144
ground	094
group	058
grow	066
guess	022
guide	056
gym	137

H

habit	084
hair	066
half	176
hall	164
handsome	060
hang	081
happen	133
hard	038
hat	099
have	062
headache	102

health	147
healthy	147
hear	124
heart	033
heat	037
heavy	023
help	036
hide	148
high	086
hiking	181
history	089
hit	022
hobby	040
hold	019
hole	143
holiday	092
home	085
homeroom	085
hometown	143
homework	041
honest	104
hope	090
hospital	048
hour	066
house	085
huge	121
human	092
hungry	037
hunt	112
hunter	112
hurry	059
hurt	148
husband	106

I

idea	046
important	020
information	125
insect	155
inside	129
interest	134

interesting	134	
interview	159	
introduce	019	
invent	151	
invention	151	
inventor	151	
invite	093	
island	134	
item	137	

J

jacket	174
job	049
join	023
jump	156
just	084

K

keep	038
kick	060
kind	067
kitchen	094
knife	102
knock	156
know	022

L

lake	108
land	070
language	144
large	068
last	077
late	059
later	166
laugh	062
lazy	104
leaf	108
learn	041
leave	090
lesson	041
let	137

letter	086
level	151
library	024
lie	104
life	085
lift	166
light	023
like	010
line	068
list	146
listen	070
little	071
live	085
lonely	177
long	082
look	036
lose	067
lot	142
loud	068
lovely	180
low	086
luck	102
lucky	102

M

machine	177
mad	112
magazine	134
magic	178
main	178
manager	172
many	071
map	064
market	178
marry	106
match	115
math	151
matter	148
maybe	130
meal	146
mean	125

meat	033
meet	088
meeting	088
melt	182
member	152
message	177
mind	107
minute	066
mirror	115
miss	045
mistake	151
mix	120
model	174
moment	138
money	044
month	098
moon	108
morning	059
mountain	055
mouth	107
move	023
movie	062
much	071
museum	046
music	070

N

nail	150
name	067
nature	108
near	034
need	036
neighbor	160
nervous	094
never	076
new	058
news	164
next	064
nickname	067
night	058
nobody	172

INDEX

noise	176
noisy	176
north	103
number	042
nurse	048

O

ocean	070
often	038
old	093
once	155
only	106
open	060
opinion	166
order	128
other	132
outdoor	181
outside	129
over	050
own	126
owner	126

P

pack	152
paint	088
pair	158
palace	110
paper	088
parent	045
park	068
part	137
pass	098
past	012
pay	093
penguin	142
people	048
perfect	128
person	048
pet	126

photograph	154
pick	033
picnic	111
picture	040
piece	130
pilot	181
place	023
plan	010
plant	028
plastic	159
plate	147
play	011
pocket	099
poem	138
pond	134
poor	044
popular	116
possible	122
post	132
poster	132
pot	147
pour	129
practice	115
present	093
president	160
pretty	024
price	124
prize	094
problem	042
promise	178
protect	154
proud	128
pull	099
purple	160
push	099
put	036

Q

queen	110

question	028
quiet	068

R

race	077
rain	072
rainy	072
raise	148
reach	165
read	086
ready	169
real	138
really	138
reason	156
receive	160
recipe	132
record	152
recycle	130
refrigerator	182
relax	180
remember	038
report	125
reporter	125
rest	026
restaurant	037
restroom	111
result	170
return	089
review	174
rice	128
rich	044
ride	081
right	012
river	071
rock	076
role	173
roll	166
rope	158
rough	155

☐ round	133	☐ side	080	☐ stand	026
☐ rule	114	☐ sign	125	☐ star	170
☐ run	077	☐ simple	176	☐ start	015
		☐ sing	070	☐ station	136

S

☐ safe	159	☐ sink	165	☐ stay	090
☐ safety	159	☐ sit	026	☐ step	121
☐ sale	093	☐ size	107	☐ stick	144
☐ same	019	☐ skin	084	☐ still	116
☐ sand	076	☐ skip	155	☐ stomach	169
☐ save	016	☐ sleep	088	☐ stomachache	169
☐ say	054	☐ sleepy	088	☐ stone	111
☐ scary	155	☐ slippery	158	☐ stop	082
☐ scene	122	☐ slow	077	☐ store	078
☐ school	040	☐ smart	060	☐ story	078
☐ science	024	☐ smell	012	☐ straight	121
☐ scientist	024	☐ smile	090	☐ strange	115
☐ score	100	☐ snack	176	☐ street	098
☐ seafood	037	☐ snow	072	☐ strong	082
☐ season	116	☐ social	130	☐ student	041
☐ seat	150	☐ soft	038	☐ study	041
☐ secret	150	☐ soil	182	☐ style	181
☐ see	032	☐ solve	120	☐ subject	116
☐ sell	044	☐ some	050	☐ subway	082
☐ send	086	☐ someday	155	☐ suddenly	148
☐ sentence	158	☐ sometimes	180	☐ sun	084
☐ serious	151	☐ son	106	☐ sunglasses	182
☐ serve	169	☐ soon	126	☐ sunlight	182
☐ set	169	☐ sorry	059	☐ sunny	084
☐ shake	120	☐ sound	036	☐ sure	115
☐ shape	133	☐ south	103	☐ surprise	164
☐ share	132	☐ space	108	☐ surprised	164
☐ sharp	178	☐ speak	081	☐ sweet	120
☐ short	082	☐ special	116	☐ swim	071
☐ shoulder	168	☐ speech	160		
☐ shout	124	☐ spend	099	**T**	
☐ show	040	☐ spicy	147	☐ table	085
☐ shower	170	☐ sport	152	☐ tail	112
☐ shy	068	☐ square	133	☐ take	072
☐ sick	048	☐ stage	136	☐ talent	155
		☐ stair	181	☐ talk	078

INDEX

☐ tall	089	☐ town	046	☐ warm	024
☐ taste	012	☐ tradition	121	☐ wash	066
☐ tea	129	☐ traditional	121	☐ waste	016
☐ teach	041	☐ trash	122	☐ watch	022
☐ teacher	041	☐ travel	010	☐ water	018
☐ team	173	☐ triangle	133	☐ wave	142
☐ tear	176	☐ trip	015	☐ way	027
☐ teenage	160	☐ trouble	166	☐ weak	082
☐ teenager	160	☐ try	081	☐ wear	050
☐ tell	078	☐ turn	022	☐ weather	072
☐ terrible	143	☐ turtle	142	☐ week	014
☐ text	177	☐ type	107	☐ weekend	014
☐ thank	085			☐ weigh	178
☐ theater	122	**U**		☐ weight	178
☐ then	129	☐ ugly	024	☐ welcome	014
☐ thick	180	☐ umbrella	072	☐ west	103
☐ thin	180	☐ under	050	☐ wet	066
☐ thing	050	☐ understand	063	☐ whole	137
☐ think	089	☐ uniform	137	☐ wide	180
☐ throat	169	☐ until	156	☐ wife	106
☐ through	152	☐ upset	050	☐ wild	112
☐ throw	011	☐ use	092	☐ win	067
☐ ticket	177	☐ useful	092	☐ window	060
☐ tie	158	☐ usually	128	☐ wise	170
☐ tip	132			☐ wish	063
☐ tired	146	**V**		☐ without	144
☐ today	089	☐ vacation	138	☐ wonder	154
☐ toe	150	☐ vase	168	☐ wonderful	154
☐ together	033	☐ vegetable	033	☐ wood	111
☐ toilet	177	☐ view	174	☐ work	026
☐ tomorrow	027	☐ village	136	☐ world	092
☐ tongue	168	☐ visit	014	☐ worm	181
☐ tool	173	☐ voice	108	☐ worry	042
☐ tooth	126	☐ volunteer	122	☐ write	086
☐ toothbrush	126			☐ wrong	012
☐ top	049	**W**			
☐ topic	174	☐ wait	090	**Y**	
☐ total	174	☐ wake	108	☐ year	098
☐ touch	100	☐ walk	077	☐ yesterday	027
☐ tour	110	☐ wall	111	☐ yet	150
☐ tourist	110	☐ want	016	☐ young	093